Le phénomène Trudeau

DU MÊME AUTEUR

ROMANS

Le Diable par la queue, Cercle du Livre de France, Montréal, 1957.

Un Soir d'hiver, Cercle du Livre de France, Montréal, 1963.

D'Iberville (reconstitution historique), Editions du Jour et de Radio-Canada, Montréal, 1968.

ESSAIS

Faillite de l'Occident ou *Le Complexe d'Alexandre*, Editions du Jour, Montréal, 1963.

Le Calepin du diable (fables et aphorismes), Editions du Jour, Montréal, 1965.

La Jungle du journalisme, Editions Lidec Inc., Montréal, 1967.

Le Canada ou l'éternel commencement, Editions Casterman, Tournai, Belgique, 1967.

Lettre aux nationalistes québecois, Editions du Jour, Montréal, 1969.

Le XXIe siècle est commencé, Editions du Jour, Montréal, 1971.

JEAN PELLERIN

Le phénomène TRUDEAU

SEGHERS

Je tiens à souligner d'une façon particulière la mine précieuse de renseignements qu'a été pour moi l'ouvrage intitulé Journey to Power (*The Ryerson Press, 1968*) *du journaliste Donald Peacock qui a été correspondant à Ottawa durant plusieurs années et qui a suivi M. Trudeau dans la plupart de ses déplacements depuis le début de sa carrière politique. Son livre offre un calendrier des événements que j'ai abondamment consulté.*

J. P.

1. TRUDEAU : NOUVEAU KENNEDY

Pour peu qu'il sache se dégager de ses enthousiasmes ou de ses antipathies, le journaliste soucieux d'objectivité peut toujours replacer les faits et les événements dans leur juste perspective, mais il ne peut s'empêcher de voir quelque chose de phénoménal dans l'ascension au pouvoir du quinzième Premier ministre du Canada : Pierre Elliott Trudeau.

Voici un homme qui, en moins de trois ans, a réussi à brûler les étapes qui jalonnent normalement la route de celui qui entend faire carrière en politique. C'est un peu par jeu, d'ailleurs, qu'il s'y est laissé entraîner par son ami Jean Marchand, et qu'il accepta de former, avec un autre de ses intimes, Gérard Pelletier, un triumvirat de militants fédéralistes.

Sitôt élu député de Mont-Royal, il fut élevé aux plus hautes sphères de l'administration. Après seulement vingt et un mois d'apprentissage, il accéda au poste de ministre de la Justice. Onze mois plus tard, soit en avril 1968, son parti le désignait comme chef et en juin de la même année, c'était le triomphe. Les libéraux remportaient une victoire éclatante et formaient un gouvernement majoritaire : un exploit qu'on ne croyait plus possible.

L'aspect phénoménal de la carrière politique de P.E. Trudeau se révéla surtout au cours des six premiers mois de 1968, soit les mois au cours desquels eurent lieu, tour à tour, la « convention » libérale pour la nomination d'un nouveau chef du parti, et la campagne préliminaire aux élections générales.

En ces quelques mois, toute la population canadienne a pu faire la connaissance de cet homme politique « nouvelle vague », de ce « phénomène » qui a suscité, sur son passage, les enthousiasmes les plus fous en même temps que les haines les plus féroces. La jeune génération a vu en lui un héros vraiment canadien, ou du moins, un politicien qui avait l'art d'intéresser les jeunes à la politique.

S'il est vrai, comme a dit un humoriste, que Marshal McLuhan et John Kenneth Galbraith sont les deux Canadiens les plus importants qu'aient produits les Etats-Unis, on peut dire que Pierre Elliott Trudeau est l'homme le plus important qu'ait produit le Canada sans l'aide de personne, et c'est probablement ce qui comble d'aise bon nombre de ses compatriotes, jeunes et moins jeunes, qui voient en lui un leader de la génération montante ; un intellectuel qui se révèle à la fois un logicien redoutable et un bel athlète, bref, la synthèse vivante de la maxime de Juvénal : *Mens sana in corpore sano.*

Côté physique, Trudeau passe pour un skieur et un nageur hors pair. Il pratique la plongée sous-marine et la course automobile. Il a traversé des continents en canoë et détient une ceinture brune au judo. Tout ceci explique, sans doute, l'air de jeunesse qui se dégage de sa personne. Pourtant c'est déjà un quinquagénaire, et seulement de quatre ans plus jeune que le chef de l'Opposition, M. Robert Stanfield, lequel a l'air d'appartenir à une autre génération.

Côté intellectuel, le Premier ministre est l'auteur de quelques thèses ou études qui font maintenant autorité en matière constitutionnelle et juridique. Il a signé plusieurs articles retentissants, et son livre, *Le Fédéralisme et les Canadiens français,* dut être réédité à plusieurs reprises, en français et en anglais. En plus de ces qualités physiques et intellectuelles, qu'on prenne en considération que le Premier ministre est riche, qu'il était célibataire jusqu'à ces derniers temps, et qu'il a beaucoup voyagé, et l'on s'expliquera un peu l'enthousiasme des foules et le délire des jeunes.

Au début du congrès libéral, qui projeta au sommet le phénomène, M. Pearson a fait savoir en plaisantant que les Canadiens s'attendaient à ce que le prochain Premier ministre du Canada soit à la fois Abraham Lincoln et Batman, ce héros volant popularisé par les bandes dites « comics » aux Etats-Unis. S'il faut en croire le *New York Times,* M. Trudeau a su se montrer à la hauteur de cette attente puisque, écrit le quotidien, il se révèle « un homme du monde qui possède un peu de John F. Kennedy, avec l'esprit gouailleur d'un Eugene McCarthy ». Il symbolise, ajoute le journal, « l'esprit de changement, à la manière d'Adlai Stevenson ». Voilà certes des rapprochements flatteurs. Renchérissant sur l'éditorialiste, le chroniqueur James Reston estime, dans le même quotidien, que « Trudeau a démontré qu'un langage franc, un sens de l'humour, un sens de l'histoire, un sens de compassion pour les pauvres et de compréhension pour les jeunes peuvent encore être de puissants atouts en politique ».

Les hebdomadaires américains *Life* et *Time* ont reconnu, dans la nouvelle vedette, « une personnification des deux cultures du Canada..., le Canadien biculturel idéal » qui, espère-t-on, « proliférera en ce pays au cours du deuxième siècle de son existence fédérale ».

Les journaux canadiens — surtout anglophones — n'ont pu s'empêcher de donner libre cours à leur enthousiasme. Le *Montreal Star* n'a pas craint d'affirmer qu'il voyait en Pierre Trudeau « l'un peut-être des intellectuels les plus brillants qu'ait connus Ottawa ». Cet homme, poursuit le journal en éditorial, « a parlé aux électeurs avec une candeur désarmante, les traitant comme des gens intelligents, et il a ainsi rehaussé la qualité des débats politiques dans ce pays ».

De son côté, la *Montreal Gazette* — de tendance généralement conservatrice — a cru devoir affirmer que M. Trudeau dominait la politique canadienne « comme peu de ses prédécesseurs ont su le faire depuis la naissance de la Confédération ».

L'historien canadien William Kilbourn, de l'université de York, s'est permis une boutade plus drôle que méchante. « Comparez, dit-il, Trudeau à Nixon, à Wilson et à Pompidou, et vous vous sentirez fier d'être Canadien ! »

La presse canadienne-française s'est montrée beaucoup plus sobre dans ses appréciations. Toutefois, le directeur du *Devoir,* M. Claude Ryan — qui avait ouvertement appuyé les adversaires de M. Trudeau — a vu en ce dernier l'incarnation d' « une tradition de libéralisme intellectuel et

9

politique qui répond aux attentes des milliers de démocrates, tant au Canada anglais qu'au Canada français ».

On pourrait accumuler les citations, comme, par exemple, celle du prince des journalistes canadiens, Bruce Hutchison, qui écrivit dans le *Vancouver Sun* : « J'ai l'impression que Pierre Elliott Trudeau a retenu l'attention du Canada, non parce qu'il a réponse à tout — visiblement ce n'est pas le cas — mais parce qu'il donne l'impression de comprendre, plus clairement que ses contemporains, la nature de la révolution dans le monde. »

La presse française eut, elle aussi, des formules enthousiastes. Jean-Jacques Servan-Schreiber, alors directeur de *L'Express,* vit en Trudeau « le premier homme politique véritablement moderne de l'Ouest », et le journal *Le Monde* salua en lui « l'arrivée d'une nouvelle génération ». Le nouvel homme politique, ajoute le quotidien, « est l'un des rares hommes qui — ses écrits, depuis vingt ans, en font foi — ont le plus réfléchi aux conditions de la survie d'un pays menacé par des forces centrifuges... Une ère nouvelle s'ouvre dans l'histoire du Canada ».

En marge de ce concert d'éloges apparemment unanimes, les milieux nationalistes, au Québec et en France, faisaient discrètement entendre un autre son de cloche. On a vu, dans l'avènement de M. Trudeau, la fin brutale du flirt que Paris et Québec avaient engagé par-dessus la tête d'Ottawa, et à la faveur des sympathies nouées entre le gouvernement de l'Union nationale à Québec et le général de Gaulle, à la suite d'un voyage mémorable...

Dès qu'il accéda à la direction de son parti, M. Trudeau fit naître un sentiment d'inquiétude au Quai d'Orsay. Un personnage haut placé dans l'administration française confia à Alan Harvey, un des correspondants canadiens les mieux informés à Paris, que le gouvernement français voyait, dans le nouveau chef libéral, un homme « intelligent, rusé, et par conséquent, d'autant plus dangereux ». Le correspondant put faire traduire en langage plus clair ces propos sibyllins. Il apprit de ses sources parisiennes que le gouvernement de Gaulle voyait en M. Trudeau un adversaire dangereux de la lutte menée dans l'intérêt du Québec, et les mêmes sources ont ajouté que cette lutte allait désormais s'engager entre Ottawa et Paris.

La lutte se sera limitée, en définitive, à quelques escarmouches verbales qui n'ont heureusement pas envenimé, plus que de raison, les bonnes relations qu'ont toujours entretenues Paris et Ottawa.

Il reste que l'avènement du *phénomène Trudeau* n'a pas fait que des heureux. Il a singulièrement

11

aigri certains éléments influents du nationalisme au Québec. On peut même dire qu'il a fait naître des antagonismes, voire même des haines, qui ont fait éclater au grand jour la plus brutale des crises de croissance qu'ait connues le pays depuis sa naissance.

Un Canada nouveau.

L'exploit qui, pour les Canadiens, a consisté à se maintenir, durant cent ans, à l'intérieur des cadres réputés factices d'une fédération politique, a donné lieu, en 1967, à deux événements polarisateurs, à savoir : la tenue, à Montréal, d'une exposition universelle mémorable, et la visite, non moins mémorable, du président de la République française à cette exposition. Les deux événements ont eu l'heur de placer le pays en plein centre de l'actualité internationale, blessant, par le fait même, sa modestie naturelle.

Le Canada a grandi et s'est développé à l'ombre des Etats-Unis. C'est sans doute ce qui fait que les Canadiens, de l'avis même de ceux qui ont étudié leur comportement, ont été constamment portés à sous-estimer leur pays et le genre de vie qui s'y développe. L'Exposition universelle de 1967 a eu pour effet de révéler les Canadiens non seulement aux autres, mais surtout à eux-mêmes. Grâce à cette magnifique réalisation collective, le Canada a rendu un hommage remarquable à la *Terre des hommes,* et les Canadiens ont pu apprécier d'une façon tangible, la valeur du caractère biculturel de leur communauté politique. Ils ont pu, durant quelques mois inoubliables se rendre compte de l'excellence de leur vie en commun.

Un an à peine après Expo-67 — et, incidemment, 360 ans après la fondation du pays par Samuel de Champlain — l'équipe libérale dirigée par Pierre Trudeau remportait une victoire non équivoque, après avoir fait campagne sous une étiquette franchement fédéraliste, cependant que le quelques mois inoubliables, se rendre compte de plus belle.

Le Canada est un pays où cohabitent des gens qui y croient et d'autres qui n'y croient pas. Toutefois, on peut dire que, pour la majorité, le « rêve canadien » est devenu une réalité. Pour d'autres, tel le journaliste Claude Ryan, il demeure « chimérique » car, dit-il, « la vision généreuse que proposa naguère Henri Bourassa, celle d'un Canada fondé sur *l'égalité des deux races,* est dépassée ».

Voilà certes deux attitudes extrêmes. La vérité se situe probablement entre les deux. Le « rêve canadien » demeure encore à l'état de rêve à bien des égards, mais il n'est plus permis de douter des

progrès qu'il a faits et qu'il continue de faire.
Quand un pays réussit à maintenir une stabilité
politique durant cent ans, et ce, en dépit des assauts
constants de ceux qui ont cherché à le détruire, il
faut avoir l'honnêteté d'admettre que c'est déjà
quelque chose. Ce pays a assurément envie de
vivre, et ce n'est pas parce que des obstacles se
dressent encore sur sa route qu'on peut se permettre, à tout bout de champ, d'annoncer sa mort.

Le Canada a fait la preuve qu'il pouvait surmonter les obstacles. Il a déjà traversé avec succès plusieurs crises graves. Chez lui, la preuve a été faite
que toujours le bon sens et la modération triom-
phent. Il reste quand même que ce pays n'a pas
la vie facile.

« Ce qui fait l'originalité du Canada, dit le journaliste torontois Peter Newman, c'est qu'il doit sa
naissance et sa survivance, non à la géographie,
ou à l'unité ethnique, ou à une longue tradition
historique, mais simplement à un acte de volonté
posé par plusieurs générations successives. »

Des poètes ont pu dire que certains pays furent
le résultat d'un acte d'amour. Le Canada n'est pas
le résultat d'un acte d'amour, mais d'un acte de
raison. Les actes de raison paraissent moins fasci-
nants que les actes d'amour, mais les deux engen-
drent des œuvres qui méritent le respect. Pour
saisir la portée du phénomène Trudeau, il importe

d'évoquer brièvement les particularismes du milieu qui l'a fait naître.

U. S. A. : *voisinage dangereux.*

Géographiquement, le Canada est le plus grand pays du monde après l'U.R.S.S., mais sa population n'est encore que de vingt-deux millions d'habitants. Toutefois, elle s'accroît à un rythme de plus en plus accéléré. Elle n'était que de trois millions et demi d'habitants en 1867, et ce chiffre s'est multiplié par six en cent ans. Le Bureau fédéral de la statistique prévoit que la population canadienne sera de vingt-cinq millions d'habitants en 1979, et de trente millions en 1990. A ce rythme, elle devrait atteindre les trente-cinq millions en l'an 2000.

Quarante-cinq pour cent de la population actuelle est originaire de pays anglophones, notamment des îles britanniques ; 28 pour cent est d'origine francophone et 27 pour cent d'origines diverses. Ces derniers entrent dans la catégorie dite des Néo-Canadiens. De plus, le Canada compte 25 000 Amérindiens et 13 000 Esquimaux.

Dans presque sa totalité — et à l'exception de la ville d'Edmonton en Alberta (la plus septentrionale des grandes villes du Canada) — la population canadienne vit en bordure des 45 et 48ᵉ parallèles (lignes de démarcation entre le Canada et les Etats-Unis), et en deçà de 300 kilomètres de la frontière américaine. A cause de ces circonstances géographiques, les Canadiens sont en danger constant d'assimilation culturelle par les Etats-Unis. Des forces continentales d'attraction — auxquelles obéissent les vents, les cours d'eau, les poissons et les oiseaux — déterminent, dans le sens nord-sud, les courants migratoires et civilisateurs. Or, la population canadienne s'étale dans le sens est-ouest. Pour Montréal et Toronto, il est plus naturel de communiquer avec Boston, New York ou Detroit, qu'avec Winnipeg, Edmonton ou Yellowknife. Pour Winnipeg, ce sont Chicago, Milwaukee ou Minneapolis qui sont des pôles naturels d'attraction, et pour Vancouver, c'est Seattle, Portland (Oregon), San Francisco ou Los Angeles.

Incidemment, l'un des défis du gouvernement canadien consiste à créer un courant migratoire et civilisateur dans le sens est-ouest et assez puissant pour neutraliser, ou du moins atténuer, les pôles naturels d'attraction au sud. Aussi, doit-il constamment multiplier routes, lignes aériennes et réseaux de télévision, non dans un but lucratif, mais afin de développer des sentiments plus intenses de solidarité nationale, et favoriser l'épanouissement d'une identité distincte des Etats-Unis.

Du fait de l'omniprésence de la publicité, de la télévision, du film, des publications et des produits américains sur à peu près toute l'étendue des régions habitées du Canada, l'anglais est la langue de communication la plus en usage dans le pays. Spontanément, les Néo-Canadiens apprennent cette langue, de sorte que la langue française — même si c'est la langue de l'un des *groupes fondateurs* du pays — se trouve en perte de vitesse non seulement sur le plan national, mais même au Québec, son château fort. La population canadienne est anglophone à plus de 75 pour cent si l'on tient compte du fait que les Canadiens français sont bilingues dans une proportion de plus en plus accrue. Ainsi, l'utilisation du français décroît dans toutes les provinces canadiennes, tandis qu'au Québec le bilinguisme progresse sans cesse.

Les statistiques indiquent que 80,6 pour cent de la population du Québec est francophone, mais tout près du tiers de cette population vit dans la région de Montréal. Dans cette région, 64,2 pour cent de la population est francophone, mais 41 pour cent de ces derniers sont bilingues. La langue française se sent donc assiégée de toute part, ce qui inquiète une certaine bourgeoisie dont le prestige et la survivance dépendent de la survie de cette langue. De cette inquiétude renaissent, à périodes intermittentes, des ardeurs nationalistes qui incitent certains éléments de la bourgeoisie traditionnelle à prôner le séparatisme.

Le séparatisme, une tendance devenue presque chronique au Canada, se fait sentir à propos de tout et à propos de rien. Tout a été prétexte à rupture avec le pacte fédératif. Des francophones ont menacé — et menacent encore — de se séparer des anglophones ; des provinces pauvres ont menacé de se séparer des provinces riches pour s'associer aux Etats-Unis ; les provinces de l'Ouest ont souvent songé à se séparer des provinces centrales (Ontario et Québec) qu'elles jugeaient trop égocentriques. Ce sont là quelques-uns des séparatismes régionaux qui relèvent la tête de temps à autre.

Dominant ces velléités régionales, un fort sentiment séparatiste à caractère national s'est également manifesté. Ce séparatisme-là a amené le Canada à s'affranchir, d'une part, de la tutelle politique et économique de Londres et, d'autre part, à ne pas se laisser assimiler par les Etats-Unis.

Bien que le Canada comporte dix entités politiques autonomes appelées *Provinces,* il se répartit, en fait, en cinq régions économiques distinctes : les *Maritimes* (quatre provinces de la côte de l'Atlantique), le *Québec* (la province mère), l'*Ontario* (la province des Grands lacs, le centre du commerce et des affaires), les *Prairies* (les trois provinces du blé et du pétrole au centre du continent) et la *Colombie-Britannique* (porte ouverte sur le Pacifique et l'Extrême-Orient).

Première des colonies de l'Angleterre à accéder à l'indépendance, le Canada a conservé toutefois les structures politiques de son ancienne métropole, et est resté membre du *Commonwealth* des nations britanniques. Mais il pourrait, s'il le voulait, se retirer de cet organisme, comme il pourrait, par un vote majoritaire des Communes, se départir de la tutelle de la Couronne britannique et devenir une république.

Pour mieux comprendre la suite, il importe ici de résumer dans leurs grandes lignes les structures politiques du Canada.

Les structures politiques.

La Couronne coiffe la pyramide des structures politiques canadiennes. Son pouvoir n'a rien d'exécutif. Il n'est que moral et est représenté, au niveau fédéral, par un *gouverneur général*, et au niveau provincial, par un *lieutenant-gouverneur*. Ce sont la Chambre des communes au fédéral et les Assemblées législatives provinciales qui exercent le pouvoir réel. Elles sont, l'une et les autres, élues au suffrage universel.

Emanation de l'*Acte de l'Amérique du Nord britannique* (1867), les gouvernements fédéral et provinciaux sont autonomes à l'intérieur de leurs juridictions propres. Le gouvernement fédéral se charge de la politique étrangère, de certains secteurs de la politique sociale, des postes, des communications, des ondes, des territoires du nord et des eaux territoriales. Les gouvernements provinciaux, de leur côté, jouissent d'une entière autonomie en matière d'éducation, de santé, de développement de l'économie et des richesses naturelles.

Le Parlement se trouve à Ottawa, la capitale du pays, et compte 265 sièges, soit 85 à l'Ontario, 75 au Québec, 22 à la Colombie-Britannique, 17 respectivement à la Saskatchewan et à l'Alberta, le reste, proportionnellement partagé entre les autres provinces.

Deux partis — le libéral (whig) et le conservateur (tory) — ont dominé la politique canadienne. Traditionnellement, le parti conservateur a favorisé le maintien des liens avec Londres et l'Europe, et c'est ce qu'on a appelé la tendance *métropolitaniste* de la politique canadienne. De son côté, le parti libéral a plutôt favorisé le rapprochement avec les Etats-Unis, et c'est ce qu'on a appelé la tendance *continentaliste*. A côté des deux partis traditionnels, des tiers partis se sont formés sans toutefois jamais réussir à s'emparer du pouvoir. Ce sont la *Cooperative Commonwealth Federation* (C.C.F.), groupe de tendance socialisante, ancêtre du *New Democratic Party* (N.D.P.), et le *Social Credit* du major Douglas, un parti qui eut du succès régionalement dans l'ouest du pays et dont le rejeton québecois s'appelle le *Ralliement des créditistes.*

Les Assemblées législatives provinciales ont un nombre de sièges qui varie selon l'étendue du territoire ou la densité de la population. Le Québec, par exemple, en compte 108. Les pouvoirs des gouvernements provinciaux découlent de l'article 92 de la Constitution de 1867.

Au Québec, quatre partis politiques se trouvent actuellement représentés à l'*Assemblée nationale* (appelée *Assemblée législative* dans les autres provinces). Il s'agit du *parti libéral* (actuellement au pouvoir) ; l'*Union nationale,* l'équivalent québecois du parti conservateur ; le *Parti québecois,* formation politique récente et de tendance indépendantiste, et le *Ralliement des créditistes,* un groupe qui recrute sa clientèle surtout à l'extérieur des régions urbaines.

En principe, les gouvernements fédéral et provinciaux tiennent des élections générales tous les cinq ans. Les chefs des divers partis, comme aux Etats-Unis, sont choisis par une *convention* à laquelle participent, sur une base de représentation proportionnelle, des délégués venus de chaque province (quand il s'agit de la convention d'un des partis fédéraux), et de chaque comté (quand il s'agit de la convention d'un des partis provinciaux). Le chef du parti qui l'emporte aux élections générales (fédérales ou provinciales) assume la fonction de Premier ministre.

2. TRUDEAU : UN CANADIEN NOUVEAU

Froid, rationnel, intelligent, simple mais ne manquant aucunement d'assurance : telle est la description que faisait du nouveau Premier ministre un quotidien de Calgary en 1968. Pour ceux qui ont connu l'homme personnellement et dans l'intimité, les qualificatifs qu'emploie ici le journal collent en tout point à la réalité. « Il a le don de communiquer avec les gens ordinaires, écrit Paul Cox dans le *Canadian Forum.* C'est un homme de raison qui fait uniquement appel à la logique en politique. Il soulève plus d'émotions que tous les autres candidats ensemble. Rempli de sang-froid, il a réussi à sensibiliser, pour la première fois, à la politique toute une génération de Canadiens. C'est un homme de consensus ; il y a en lui quelque chose pour tout le monde. »

Mais il faut s'empresser d'ajouter que si P.E. Trudeau réussit à rallier les foules à son opinion, ce n'est pas parce qu'il leur dit, comme font tant d'autres hommes politiques, des vérités qui les flattent ou qu'ils veulent entendre, mais parce qu'il connaît l'art de persuader. Il a le génie de la pensée limpide et des formules lapidaires.

Bien loin de se conformer aux opinions courantes, il a plutôt tendance à les remettre en question. Il a même tendance à se porter à la défense des causes perdues, ou encore, à contester les idées trop reçues. « Vous êtes un signe de contradiction », avait dit de lui M. Vianney Décarie, un de ses amis, dans le discours qu'il prononça lors de sa réception à la *Société royale du Canada.* Trudeau lui-même définit sa politique et sa pensée en deux mots : *faire contrepoids. Aux idées toutes faites,* ajoute-t-il, *j'ai toujours préféré celles que je me faisais moi-même,* et il explique : *Lorsqu'une idéologie politique devient universellement accréditée chez les élites, lorsque les définisseurs de situation l'embrassent et la vénèrent, c'est le signe : il est plus que temps pour les hommes libres de la combattre.*

Mais Trudeau ne cherche pas à faire contrepoids uniquement dans le domaine des idées. Sa personne et sa vie même respirent la contradiction. Il passe pour appartenir à une classe privilégiée dans un pays — voire un continent — où il n'existe pas, d'une façon tranchée comme en Europe, de classes bourgeoise, paysanne ou ouvrière. A vrai dire, en Amérique du Nord, les cloisons entre classes sociales ne sont que théoriques. Tout le monde s'habille de la même façon et roule sur les mêmes autoroutes, dans des voitures de marques et d'apparence uniformes. Qu'à cela ne tienne, Trudeau est étiqueté : c'est un bourgeois d'Outremont, une enclave cossue de Montréal. Il est riche au milieu d'une société qui affecte de se dire pauvre ; il est instruit et disert dans une province où l'on se défie encore passablement des « grands parleurs » qui ont lu de « gros livres » et qui ont « vu du pays ». L'opinion que se font de lui ceux qui ne le connaissent pas intimement se résume à peu près ainsi : c'est un homme riche, volage, *playboy,* qui a le verbe haut et des idées avancées.

Cette opinion résulte d'apparences que n'a jamais dissimulées Pierre Trudeau, et pourtant, ce riche mène une vie frugale, austère même. Depuis des années, il règle scrupuleusement son emploi du temps. C'est un sportif dans toute la force du terme, et qui s'impose une discipline quasi spartiate. Il ne boit presque pas d'alcool et il ne fume pas. A l'époque où il aurait pu s'abandonner aux plaisirs d'une existence facile, il n'a pas craint de braver un milieu formaliste pour vivre en vrai *hippie* alors que ni le mot ni la chose n'existaient encore. Cet homme volage et excentrique, cet as **du volant,** cet athlète souvent entouré de jeunes filles éblouissantes, a toujours caché, sous son masque de *playboy,* un intellectuel exigeant et rigoureux. Sous des dehors volages, sa vie s'apparente bien plus à celle d'un moine qu'à celle d'un libertin. Tous ceux qui eurent l'occasion de prendre contact avec lui savent à quel point il s'astreint à des horaires précis.

Pierre Elliott Trudeau est déroutant par bien d'autres aspects de sa personnalité. Ainsi, tout en ayant l'air d'un dilettante, c'est le type de l'intellectuel engagé. Il est même l'un des rares intellectuels de sa génération qui ait profité du fait qu'il était indépendant de fortune pour consacrer tout son temps à une action sociale peu rémunératrice.

Il a le verbe haut en couleur. Il lui arrive parfois de faire des observations qui ont l'heur de mettre ses adversaires dans tous leurs états. Mais cet homme au verbe incisif, et parfois vert, n'affirme rien sur quoi il n'ait d'abord longuement réfléchi. Il sait parler avec force et autorité, mais il sait encore mieux écouter. Très respectueux de la démocratie, il a le respect absolu de l'opinion de l'autre, que cet autre soit un docteur ou un chauffeur de taxi. Mais le crétinisme et l'à-peu-près, d'où qu'ils viennent, le font bondir. Il est capable de répliques foudroyantes.

Enfin, celui qui fut souvent accusé, par des adversaires brouillons, d'être un communiste, ou tout au moins un dangereux intellectuel de gauche, n'a toujours été, au fond, qu'un conservateur, ou mieux, un vénérateur des grandes traditions intellectuelles, politiques et culturelles de l'humanité en général, et de son pays en particulier. Ce communiste qui n'a pas craint, à l'occasion, de croiser le fer avec des jésuites, reste un catholique pratiquant dans un milieu intellectuel et bourgeois où l'agnosticisme commence à être bien porté.

Mais le grand mérite de Trudeau est d'avoir su incarner aux yeux des multitudes, et à une époque importante de l'histoire canadienne, les deux cultures qui ont fourni le plus d'apports à l'identité du pays. Ces deux cultures se fondent harmonieusement dans sa personnalité, et l'on s'explique facilement la chose du fait de certaines circonstances entourant ses origines.

Les premières années.

Pierre Elliott Trudeau est né à Montréal le 18 octobre 1919. Il appartient, par son père, à l'une des plus vieilles familles canadiennes. Selon Marcel Reible, Estienne Truteault débarqua en Nouvelle-France en 1659. Il était le fils de Robert Truteaux, un laboureur à bras de la commune de Marcillac-Lanvienne, à une vingtaine de kilomètres d'Angoulême, dans la région de Charente en Poitou.

Comme la plupart des familles canadiennes-françaises, celle des Trudeau est d'origine rurale.

Le père du Premier ministre, Charles-Emile, était le fils d'un cultivateur de Saint-Michel de Napierville. Il fit ses études en droit et vint faire fortune à Montréal. Brillant brasseur d'affaires, il s'est bâti un empire qui comprenait, entre autres, l'Automobile Owners Association et la *Champlain Oil Products Co.,* une chaîne de postes d'essence. Il avait aussi des intérêts dans les entreprises minières Hollinger et Algoma, dans le parc Belmont (terrain d'amusements) et les *Royaux* de Montréal, une équipe de base-ball. Lorsqu'il mourut, en 1935, à l'âge de quarante-sept ans, il avait accumulé six millions de dollars, une fortune à l'époque.

Charles-Emile Trudeau épousa Grace Elliott, une Montréalaise née d'un père écossais, descendant d'un Loyaliste de l'Empire uni, et d'une mère canadienne-française (née Sauvé). Pierre est le deuxième des trois enfants issus de ce mariage, l'aînée étant Suzette, mariée à un dentiste, et Charles, un architecte.

Alors qu'il n'avait que quatorze ans, et qu'il poursuivait ses études primaires à l'Académie Querbes, le jeune Pierre fit son premier voyage en

Europe. Deux ans plus tard, en 1935, son père mourait, en Floride, durant un voyage qu'il fit avec les *Royaux*.

En 1940, Pierre Trudeau achevait ses études classiques au Collège Jean-de-Brébeuf où s'affirma, pour la première fois, un trait important de son caractère. En effet, ses condisciples ayant eu tendance à verser un peu trop dans le nationalisme, il résolut, pour les narguer, de se faire appeler à l'avenir « Pierre Elliott Trudeau », faisant ainsi précéder son patronyme du nom de sa mère. Déjà, il *faisait contrepoids*. Incidemment, ce collégien n'avait rien du jeune homme rangé et conformiste. Il fit constamment preuve d'un individualisme peu commode.

Dès sa plus tendre enfance, il se révéla un être soucieux d'aller au fond des choses ! Sa sœur aînée eut, un jour, à en subir les conséquences. Pierre éventra une de ses poupées pour voir ce qu'il y avait dedans. Plus tard, ce bambin éventreur de poupée, se rendra coupable d'espiègleries bien plus pendables encore. Son ami, le peintre Gabriel Filion, raconte que, durant sa jeunesse folle, l'ami Pierre se mettait souvent à l'arrière des tramways et tirait sur la corde afin de faire se débrancher le trolley, ce qui forcément immobilisait le tram. Un jour, quelqu'un surprit le manège et se mit à enguirlander le coupable. Mais ce dernier joua

aussitôt les innocents offensés et invita l'accusa-
teur à descendre régler le différend au prochain
arrêt.

Une autre anecdote, plus répandue celle-là, est
racontée par Roger Rolland, un fantaisiste de suave
mémoire à Radio-Canada. Trudeau et Rolland
étaient, dans leur jeunesse, de fervents motocy-
clistes. Un jour que les deux compères pétaradaient
sans pitié dans le village de Sainte-Agathe, dans
les Laurentides, ils s'arrêtèrent à une vaste demeure
où, à une petite bonne excédée, Trudeau commanda
en allemand, et du geste : « Wasser ! » La jeune
fille courut chercher un verre d'eau que Trudeau
tendit à Rolland pour qu'il en but d'abord. Rolland
eut à peine avalé une gorgée qu'il s'affaissa au sol,
feignant d'être empoisonné. Sec et péremptoire
comme un S.S., Trudeau gargarisa des imprécations
à la Hitler. La pauvre soubrette était complètement
médusée. Le tout s'acheva, bien sûr, dans un grand
éclat de rire.

Une autre histoire de motard — plus littéraire
celle-là — est racontée par Andrée Desautels,
maintenant professeur de musique au Conservatoire
de Montréal. Mlle Desautels et Trudeau firent
ensemble de la moto sur les routes d'Espagne. Un
jour, ils s'arrêtèrent pour faire le plein d'essence
et Trudeau, qui parle couramment l'espagnol, se

mit à réciter des passages de *Don Quichotte*. Le plus naturellement du monde, le pompiste enchaîna et débita, lui aussi, des passages de Cervantès. Trudeau était ravi.

Dès la fin de ses études secondaires, Trudeau s'initia à la politique en participant à la campagne électorale que mena l'un de ses amis, Jean Drapeau — l'actuel maire de Montréal — contre le général L.R. Laflèche, dans la circonscription d'Outremont. Les deux orateurs prononcèrent des discours enflammés contre la conscription pour service militaire outre-mer, rappelant avec force la promesse faite par le Premier ministre Mackenzie King et son bras droit, l'honorable Ernest Lapointe, que jamais le Canada n'aurait recours à la conscription. (On sait que pour se faire relever de sa promesse, le gouvernement King a tenu à cette époque un plébiscite. Les Canadiens français ont voté massivement « non » au plébiscite, ce qui voulait dire qu'ils ne relevaient pas le gouvernement de sa promesse. Mais la majorité anglophone du pays vota « oui » et le gouvernement vota la loi du service militaire obligatoire.) C'est autour de cet épineux débat que se fit la lutte dans Outremont. Les électeurs auront-ils trouvé que le péril hitlérien reléguait au second plan ces sortes de considérations ? Toujours est-il que le général Laflèche l'emporta par une écrasante majorité.

En 1944, Trudeau était reçu au Barreau, et deux ans plus tard, il obtenait une maîtrise en économie politique à l'Université de Harvard, puis il partait pour Paris où il s'inscrivit à l'École des sciences politiques et à la faculté de droit. Comme tout sorbonnard qui se respecte, il participa un jour à un monôme et fut arrêté. Mais il parvint, dit-on, à s'échapper durant le court trajet entre le panier à salade et le commissariat.

En 1947, on le retrouve aux cours d'Harold Laski, à la London School of Economics, où il s'initie consciencieusement à la pensée de ceux qu'il revendiquera pour maîtres, plus tard, soit Lord Acton, Alexis de Tocqueville et Montesquieu.

Un voyage mémorable.

Après avoir fréquenté les grandes universités, Trudeau s'inscrivit hardiment à la plus grande de toutes : celle du monde et de la vie. Avec seulement huit cents dollars en poche, il partit pour Londres pour un périple invraisemblable qui devait lui faire faire le tour du monde.

Alors qu'il étudiait à Londres et qu'il s'étiolait à potasser une vague thèse, Trudeau fut pris de cafard. Muni seulement d'un havresac, il partit seul, et ce geste, incidemment souligne un autre trait important de son caractère. *J'ai souvent besoin d'être seul,* avoue-t-il, *affaire de récupérer et de me retrouver.*

Dans l'appareil le plus sommaire qu'on puisse imaginer, et muni de nombreuses pièces d'identité qu'il avait forgées lui-même, il piqua d'abord une pointe du côté des zones britanniques et américaines en Allemagne puis en Autriche occupées. Partout, il exhibait ses cartes constellées de sceaux, d'estampilles et de timbres fictifs et passait sans difficulté. *Pourvu que la paperasse ait l'air officiel,* confia-t-il à un ami, *on passe à peu près partout.*

Histoire de ne pas épuiser trop vite son maigre budget, il accepta, par-ci par-là, de menus emplois. Il fut, par exemple, interprète anglais-français pour un groupe d'étudiants communistes, puis il s'arrangea pour passer en Yougoslavie bien qu'il n'eût pas de visa. Mais il fut arrêté, incarcéré un moment, puis déporté en Bulgarie où des réfugiés juifs le prirent sous leur protection parce qu'il parlait couramment espagnol. De peine et de misère, il finit par arriver en Turquie où, à l'instar du poète Byron, il traversa le Bosphore à la nage. *L'eau était froide et le courant fort violent,* commenta-t-il plus tard.

Légèrement vêtu et la barbe longue, il arriva en Jordanie peu de temps après qu'Israël eut accédé à l'indépendance, et il se faufila dans un convoi de

33

soldats arabes pour réussir à pénétrer en Palestine au plus fort du conflit israélo-palestinien. A Jérusalem, l'intrus barbu et enturbanné a été arrêté. On l'a pris pour un espion israélien. Après des explications interminables, il recouvra enfin sa liberté.

Quelques semaines plus tard, alors qu'il visitait les ruines d'Ur, patrie d'Abraham, en Chaldée, il fut encerclé par une bande de bandits arabes. Sans armes, avec sa barbe, ses shorts et son havresac, il simula la folie en récitant, pêle-mêle, des vers de Corneille et de Victor Hugo, le tout entrecoupé de vertes sentences en *joual,* ce jargon informe des Canadiens français. Médusé, les bandits prirent la poudre d'escampette.

Du Proche-Orient, notre globe-trotter passa au Pakistan où il vécut quelque temps avec les fusiliers du col de Khyber. Etape périlleuse. Pour se sustenter, il dut se contenter de miel d'abeilles sauvages et de lait de chèvre, tandis que sifflaient à ses oreilles les balles tirées depuis les hauteurs de l'Afghanistan par les francs-tireurs de la tribu de Pathan.

Du col de Khyber, il gagna l'Inde, voyageant toujours en quatrième classe, ce qui voulait dire, à l'époque, pendu à la marchette extérieure des wagons. En Inde, il se réfugia chez les pères de Sainte-Croix dont une des missions se trouve située aux bouches du Gange et du Brahmapoutre. Un jour qu'il se rendait utile aux travaux de la mission, il fut attaqué par des pirates. *Notre bateau,* expliqua-t-il plus tard, *s'égara dans la brume épaisse, peu après l'attaque des pirates. Aussi, personne ne put venir à notre secours. Lorsqu'un autre bateau parvint enfin à nous repérer, les voleurs avaient fui avec tout ce que nous possédions.*

Durant son séjour en Inde, Trudeau put mesurer l'étendue de la tragédie causée par la séparation arbitraire des deux Pakistans (islamiques) du grand tout indien. Il a vu les frontières engorgées de réfugiés en détresse. Ce désastre s'ajoutant à celui dont il avait pu mesurer l'étendue dans une Europe à peine délivrée du cauchemar hitlérien aura sans doute contribué à accentuer sa méfiance à l'égard des nationalismes.

Après l'Inde, ce fut la Birmanie, le Siam, le Cambodge. En Indochine où la domination française subsistait encore à ce moment-là, il voyagea dans un convoi militaire et put, encore là, voir de près les effets de la guerre.

Il se rendit à Hong Kong où il s'arrangea pour passer en Chine au moment où la *Longue Marche* de Mao Tsé-toung tirait à sa fin. Il put visiter Changhaï, mais les troupes révolutionnaires avançaient à grands pas. Trudeau put s'embarquer sur le dernier bateau américain qui quitta la grande ville chinoise peu avant que l'avant-garde des « grands marcheurs » commence à franchir le Yang-tsé-kiang et à investir la ville.

De retour au pays, le globe-trotter fit ses comptes. Son périple ne lui avait coûté que 800 dollars, et encore, là-dessus, il avait dû payer 300 dollars pour une place sur le bateau qui le ramena de Changhaï en Amérique.

L'intellectuel engagé.

Un voyage rempli d'émotions aussi fortes aura-t-il contribué à faire naître, chez le jeune Trudeau, un désir d'engagement dans une action précise ? On peut facilement le penser car, aussitôt rentré au pays, il se révèle l'un des intellectuels les plus engagés dans l'action sociale et politique de cette époque-là. Il est nommé économiste et conseiller au Conseil privé, cependant que, toujours paré de sa barbe, il participe à la fameuse grève de l'amiante à Asbestos, une ville minière du Québec. Les piquets de grève l'appelaient « saint Joseph » à cause de la barbe.

Cette grève qui mit en lumière l'absolutisme du régime de Maurice Duplessis ainsi que sa farouche opposition au mouvement syndical amena

Trudeau à se spécialiser dans le droit ouvrier et les causes de droit public. Durant quelques années, il mettra ses connaissances professionnelles au service de la *Confédération des travailleurs catholiques du Canada* — la C.T.C.C. — une organisation syndicale qui est devenue aujourd'hui la C.S.N. — la *Confédération des Syndicats nationaux* — une puissante centrale syndicale du Québec.

Maurice Duplessis, un nationaliste de la plus pure tradition, a détenu le poste de Premier ministre de la Province de Québec durant près de vingt ans. C'était un célibataire, catholique quelque peu démonstratif, qui a toujours cherché à gouverner en faisant appel, à temps et à contretemps, aux grands principes pour faire voter des lois parfois fort rétrogrades. Duplessis avait beaucoup d'ascendant sur les masses québecoises. Il a régné en monarque absolu grâce au patronage et au favoritisme éhonté qu'il a laissé se développer à l'intérieur de sa puissante machine électorale. A l'époque où le clergé était tout-puissant, il se vantait du fait que même les évêques venaient manger dans sa main.

Pour combattre ce régime que des intellectuels libéraux ne pouvaient faire autrement que de trouver suffoquant, Trudeau participa, en 1950, à la fondation de *Cité Libre,* une revue d'avant-garde qui, durant près de quinze ans, devait œuvrer à ce qu'on appelle aujourd'hui la « révolution tranquille », c'est-à-dire ce passage brusque de l'immobilisme moyenâgeux du duplessisme à la projection fulgurante du Québec francophone dans le XXe siècle. La direction de la revue était collégiale. Les collaborateurs apportaient des textes. Quand la matière était suffisamment abondante et valable, les copains se cotisaient, et on publiait les textes les plus transcendants. Le tirage ne dépassait guère les cinq ou six cents exemplaires que les gens d'avant-garde se passaient sous le manteau. L'évêque de Sherbrooke avait interdit la vente de la revue dans son diocèse. D'autres évêques ont ouvertement dénoncé la publication, laissant entendre, en termes à peine voilés, que ses collaborateurs n'étaient que des déracinés, pervertis par des doctrines étrangères aux traditions du Québec.

C'était évidemment l'époque héroïque de la pensée adulte au Canada français. Trudeau, Gérard Pelletier et plusieurs autres collaborateurs entrèrent dans la vie publique par le truchement de cette revue à faible tirage mais de grand prestige.

Au moment où on accusait les collaborateurs de *Cité Libre* de pactiser avec le communisme, Trudeau accepta une invitation de participer à une conférence en Union soviétique. C'était en 1952. Un incident pittoresque marqua également ce voyage. Se rendant à la messe, et passant par la

Place Rouge, le dimanche de Pâques, il ne put résister à la tentation de lancer une boule de neige à la statue de Lénine. Ce fut, expliqua-t-il plus tard, sa manière à lui de se venger des gratte-papier qui avaient fait des manières avant de lui permettre d'assister à la messe de Pâques.

En 1954, autre voyage : il assiste, au Pakistan, à la conférence sur les relations du Commonwealth, mais cette fois, il semble qu'aucun incident spectaculaire ne se soit produit. En 1956, il dirige, à *Cité Libre,* la publication d'un fort volume intitulé : *La Grève de l'amiante.* Il s'agit, six ans après le mémorable événement, de faire le point, ainsi que l'évaluation du chemin parcouru. Ce document constitue aujourd'hui un point de repère important, et marque peut-être le point de départ d'une action politique plus concrète. En effet, c'est cette année-là que Trudeau lance son mouvement dit du *Rassemblement,* et dont le but a été de regrouper tous les mouvements et tous les partis opposés à la « dictature » duplessiste.

Le *Rassemblement* suscita quelques affrontements inoubliés avec des porte-parole plus ou moins officiels de l'Union nationale, car il faut dire que M. Duplessis écartait tout contact direct avec la presse électronique. J'étais, à cette époque-là, réalisateur d'émissions d'affaires publiques à la télévision de *Radio-Canada.* Je réalisais une émission appelée justement *Affrontement* lorsque Trudeau publia un texte retentissant dans *Cité Libre*, texte dans lequel il conviait tous les partis d'opposition à se raidir contre l'autocratisme duplessiste. En ma qualité d'informateur, je crus de mon devoir d'inviter Pierre Trudeau à mon émission afin de lui permettre de s'expliquer avec trois personnalités que j'avais également invitées et qui, à mon avis, représentaient le plus équitablement possible l'opinion publique. Le porte-parole officieux de l'Union nationale était un avocat au verbe haut en couleur et au bagou intarissable. Il profita de la situation pour accaparer l'écran et rendre impossible tout échange de points de vue. Avec une désinvolture grossière, il ne rata aucune occasion de tourner en ridicule Trudeau, son *Rassemblement, Cité Libre* et tous ceux qui y collaboraient. Il fut rappelé à l'ordre vingt-neuf fois en une demi-heure par l'animateur de l'émission. Rien n'y fit, l'avocat impénitent intervenait sans cesse, à temps et à contretemps. Il multipliait les apartés désobligeants. Il fit si bien que le représentant du *Rassemblement* n'a presque pas pu parler. Désarçonné, il traita de c... le porte-parole officieux de l'Union nationale. C'est l'émission la plus provocante qu'il m'ait été donné de réaliser !

Le *Rassemblement* ne provoqua pas l'action qu'on en espérait. Duplessis continuait de jouir tranquillement du pouvoir absolu à Québec, tandis qu'à Ottawa, le règne du Premier ministre Louis Saint-Laurent se poursuivait sans histoire. On ignorait encore, à ce moment-là, que le scandale du pipe-line transcanadien — qui mit fin à la carrière de C.D. Howe — allait tout gâcher. A cause de ce scandale, John Diefenbaker réussit à prendre le pouvoir en 1957, renversant — en dépit des augures contraires — le régime du débonnaire *Uncle Louis.* L'année suivante, Trudeau obtenait le prix du Gouverneur général pour un article intitulé *Quelques obstacles à la démocratie au Québec,* cependant qu'à Radio-Canada, les réalisateurs de télévision déclenchaient une grève qui devait ouvrir la voie aux syndicats de cadres.

L'espèce de crescendo engendré à la fois par la chute de Saint-Laurent et l'avènement de Diefenbaker s'intensifia avec la mort de Maurice Duplessis, à Schefferville, dans le Nouveau-Québec, en septembre 1959. Après les courtes apparitions au pouvoir de Paul Sauvé et d'Antonio Barrette, la mort du « chef » redoutable ouvrit la voie à l'équipe libérale de Jean Lesage et à la *révolution tranquille* qui s'ensuivit.

Une équipe dite « du tonnerre », et qui comptait dans ses rangs un député du nom de René Lévesque, entreprit de régler l'horloge du Québec à l'heure du XXe siècle. Décidément, *Cité Libre* comptait des points. De concert avec le quotidien *Le Devoir* qui, en 1958, avait dévoilé le scandale du gaz naturel, de concert aussi avec *Les Insolences du frère Untel,* un petit livre courageux qui avait mis au jour l'insanité du système d'enseignement, ainsi qu'avec le concours précieux de Radio-Canada qui avait ouvert sur le monde les fenêtres du Québec, la revue fondée par des jeunes des années 50 pouvait enfin croire que le moment était venu de se reposer sur ses lauriers.

Période de transition : Trudeau entreprit, en compagnie de son ami Jacques Hébert, de faire un grand voyage à travers la Chine de Mao Tsé-toung. Au cours de ce voyage, Trudeau se permit encore quelques escapades dans le dos de ses guides officiels. Au retour, les deux compères firent paraître un volume intitulé *Deux innocents en Chine rouge* et qui fit, comme bien l'on pense, jaser les bien-pensants.

Influencé par les intrigues des agents de Duplessis, et fort de preuves apparemment irréfutables, le cardinal Paul-Emile Léger, archevêque de Montréal, et chancelier de l'université, avait la conviction que Trudeau était communiste, et il s'était opposé à sa nomination comme professeur à la faculté de droit. En 1961 cependant il retira son véto et Trudeau devint professeur agrégé de la faculté. La même année, il est reçu membre de la

42

Société royale du Canada et il participe, avec des amis, à la fondation de la *Ligue des droits de l'homme.*

Les événements s'étaient vraiment précipités. En seulement quelques années, les écuries politiques du Québec se trouvaient nettoyées. Restait Ottawa. L'attention des gens de *Cité Libre* se tourna maintenant de ce côté, mais avant de repartir pour de nouvelles croisades, Trudeau — espiègle impénitent — se permit une autre escapade.

Au début des années 60, Fidel Castro était fort populaire auprès de tous ceux qui tenaient à passer pour des esprits progressistes. Il était même venu à Montréal et avait, par un beau dimanche d'été, attiré dans le sillage de sa cavalcade motorisée des troupes de jeunes filles avides de le voir et d'obtenir si possible un autographe. Le révolutionnaire et ses barbus se réfugièrent à l'hôtel Reine-Elizabeth où j'ai procédé, au nom de Radio-Canada, à l'enregistrement d'une conférence de presse filmée qui fut télédiffusée le soir même.

C'est dans ce contexte de préjugé favorable à la récente révolution de Fidel et de ses collaborateurs que Trudeau résolut un jour de franchir en canoë les détroits de Floride pour se rendre à Cuba.

Il faut savoir que Trudeau était un as du canoë. Il pagaya de Montréal à la baie James, un exploit digne de Cavelier de La Salle, de Louis Jolliet ou d'Iberville. Il « fit » aussi la rivière Coppermine jusqu'à l'océan Arctique, dans les Territoires du Nord-Ouest, ainsi que le redoutable fleuve Mackenzie qui coule du Grand lac des Esclaves jusqu'à la mer de Beaufort.

Or donc, il résolut, en 1961, de franchir en canoë les 135 kilomètres qui séparent l'extrême pointe de la Floride des côtes cubaines. A un journaliste de Calgary il devait expliquer après l'aventure : *Un de mes amis et moi-même voulions prouver que le canoë est une embarcation qui peut prendre la mer. Nous avons choisi la route la plus traîtresse du monde : les détroits de Floride. Nous sommes partis de Key West, mais nous avons échoué.*

Les deux aventuriers ne purent être repérés tout de suite par les garde-côtes américains, aussi, furent-ils d'abord portés disparus. C'est un crevettier qui vint à leur secours. Trudeau rentra au Canada dans la voiture qui l'avait amené en Floride. Les autorités américaines ont longtemps tenu les deux compères pour des suspects. *Ceux qui pensent,* dit Trudeau, *que dans cette expérience, nous tentions de transporter en fraude des armes à Cuba n'ont vraiment jamais tenté pareille aventure.*

En 1963, un gouvernement libéral minoritaire, dirigé par Lester B. Pearson, supplantait l'admi-

44

nistration conservatrice de Diefenbaker. Ce dernier commençait à être sérieusement contesté par ses propres ministres, et il avait, par ailleurs, exaspéré les Américains en refusant même de discuter de la possibilité d'entreposer des ogives nucléaires en territoire canadien. Fort mal disposée à son égard, la grande presse américaine était allée jusqu'à participer, d'une façon à peine voilée, à la campagne électorale en incitant discrètement les Canadiens à renverser le régime de celui qu'on appelait « le vieux lion de Prince-Albert » (circonscription électorale de Diefenbaker, dans le nord de la province de Saskatchewan).

L'élection de Pearson fit pousser un soupir de soulagement aux Américains et, pour des raisons différentes, à plusieurs Canadiens. Dans l'opposition, Pearson avait constamment affirmé qu'il s'opposait, lui aussi, à l'entreposage d'ogives nucléaires américaines en sol canadien. Parvenu au pouvoir, il crut devoir assouplir ses positions. Il fit même quelques concessions aux Américains qui — il faut bien le dire — étaient devenus vraiment pressants.

L'équipe de *Cité Libre* suivit de très près cette évolution déconcertante de l'administration Pearson. Dans des articles retentissants, Pierre Trudeau traita les libéraux d' « idiots et de moutons ». Il affubla même le Premier ministre Pearson du titre de « prince défroqué de la paix ». Trudeau ne portait certes pas les libéraux dans son cœur à ce moment-là. Il les avait même combattus ouvertement en menant campagne pour son ami Charles Taylor, candidat néo-démocrate dans la circonscription de Mont-Royal. C'est à ce même Taylor, et dans la même circonscription, qu'il s'opposera en 1965, lorsqu'il se sera réconcilié avec les libéraux. Mais n'anticipons pas. La vie de l'intellectuel engagé se termine ici. Celle de l'homme politique commence.

3. LES PARTIS S'ALIGNENT

Après avoir traversé la période de confusion au cours de laquelle ils se sont efforcés d'atténuer, sinon d'éliminer tout à fait, l'influence de leur vieille garde, les partis politiques fédéraux et provinciaux du Canada eurent à faire face à des pressions qui les obligèrent à s'aligner pour ou contre les nouvelles théories qui avaient pris naissance au Québec à la faveur de la « révolution tranquille ». Les questions auxquelles on les a pressés de répondre se formulaient, en gros, comme suit : le Canada est-il, oui ou non, composé de *deux nations* ? Si oui, faut-il accorder au Québec, présumé foyer de l'une de ces deux nations, un *statut particulier* ?

Au Québec, les partis *libéral* et de *l'Union nationale* — voire même l'aile québécoise du *Nouveau parti démocratique* (de tendance socialiste) — ont ouvertement adhéré à la théorie des *deux nations* et du *statut particulier,* sans naturellement aller jusqu'à se prononcer catégoriquement en faveur de la séparation d'avec les autres Etats membres de la Confédération canadienne.

Sur le plan fédéral, l'alignement des partis sur ce point n'a pas été aussi tranché. Tout a dépendu des mentors québecois qui ont agi à l'intérieur de chacun d'eux. Le *parti conservateur* eut pour mentor M. Marcel Faribault, un fédéraliste convaincu, mais qui crut plus sage de maintenir une attitude conciliante à l'égard des nationalistes québecois. Le *parti libéral,* de son côté, eut à trancher entre l'attitude de deux mentors : Maurice Lamontagne, le conciliant, et Pierre Elliott Trudeau, l'intransigeant.

Dès 1956, le parti conservateur a donné des preuves qu'il savait tirer parti du nationalisme qui, depuis toujours, influence à peu près toutes les communautés qui forment le Canada. A ce moment-là, le régime Saint-Laurent obéissait aux ordres de ce grand technocrate que fut Clarence Decatur Howe, un homme fascinant et d'une grande hardiesse qui poussa, à une limite quasi indécente, le principe de l'intégration de l'économie canadienne à celle des Etats-Unis (continentalisme). Des éléments plus jeunes, à l'intérieur du parti, se mirent à crier casse-cou et à prôner une action gouvernementale pour empêcher que les entreprises canadiennes continuent de passer à des intérêts américains. Un des instigateurs de ce mouvement — Walter Gordon — rendit populaire la théorie du *Buy back Canada* (racheter le Canada des Etats-Unis). Selon cette théorie, il fallait que le Canada, s'il entendait survivre politiquement, entreprît de racheter, progressivement et systématiquement, les entreprises qui lui avaient déjà appartenu et qui étaient devenues par la suite propriétés d'intérêts américains.

Les pressions des jeunes libéraux finirent par faire éclater la marmite. Le régime Saint-Laurent ne put survivre au scandale de la *Trans Canada Pipeline* (une pénible histoire de patronage), et c'est Lester B. Pearson, un modéré qui a obtenu le prix Nobel de la paix (1957) à cause de sa médiation conciliante durant la crise de Suez, qui accéda à la direction du parti libéral fédéral en 1958. Pearson s'efforcera de faire le pont entre les jeunes et les membres de la vieille garde du parti. On vit en lui l'homme nouveau, le premier politique moderne à devenir Premier ministre du Canada.

Le phénomène Diefenbaker.

Il n'y a pas eu que des *phénomènes* en politique canadienne. Mais il faut reconnaître que John

George Diefenbaker en fut un, lui aussi, à sa façon.

Pendant que les libéraux s'abandonnaient à un continentalisme devenu extravagant, les conservateurs fédéraux avaient cherché à ranimer les sentiments du nationalisme canadien, non plus autour d'une vague fidélité à l'*Empire* et aux intérêts de Londres sa métropole (métropolitanisme), mais cette fois, autour de l'idée d'un Canada qui se doit de garder ses distances économiques face aux intérêts envahissants des Américains.

La destinée de Diefenbaker aura été d'avoir incarné ce nouveau nationalisme aux allures quelque peu antiaméricaines. Elle aura été aussi de réhabiliter l'idéal d'un Canada uni. « One Canada » : telle sera la devise de l'homme qui accéda à la direction du parti conservateur fédéral en 1956.

Diefenbaker est d'origine allemande. Il n'appartient, par conséquent, ni à l'un ni à l'autre des *deux groupes fondateurs* du Canada. Il s'est toujours fait le porte-parole enflammé des Néo-Canadiens. Il fut, et reste, dans l'Ouest canadien, l'avocat du pauvre et de l'exploité. Les gens des Prairies ont beaucoup de respect pour lui. Dief, comme l'ont appelé familièrement ses proches, et les journalistes, s'est toujours montré intransigeant, pour ne pas dire arrogant, dans ses relations avec

Washington. Il a prêché ardemment l'émancipation économique du Canada par rapport aux Etats-Unis, rêvant — en bon *métropolitaniste* — d'une revalorisation des liens avec la Grande-Bretagne et le *Commonwealth*.

C'est donc cet homme et son équipe qui triomphèrent aux élections générales de juin 1957, renversant, contre toute prévision, le régime de l'*Uncle Louis* (Saint-Laurent). Les conservateurs se trouvaient à prendre le pouvoir pour la première fois depuis la défaite de R.B. Bennett en 1935. Comme le Québec avait voté massivement en faveur de Saint-Laurent, Diefenbaker se trouvait avoir prouvé que — contrairement à une thèse libérale — il était désormais possible pour un parti fédéral de prendre le pouvoir à Ottawa sans l'appui du Québec. Il est vrai que les conservateurs n'avaient gagné qu'en remportant 119 seulement des 265 sièges et formaient, par conséquent, un gouvernement minoritaire. Autrement dit, le nouveau régime détenait le pouvoir, mais ne pouvait guère gouverner. Aussi, une nouvelle élection générale fut-elle tenue en avril 1958, et cette fois, ce fut un balayage sans précédent. Le Québec se laissa emporter par le courant et vota, cette fois, massivement pour l'équipe de Diefenbaker, laquelle remporta 208 sièges : un exploit qui ne s'était jamais vu dans toute l'histoire de la Confédération.

Fort de sa victoire, celui que tout le monde surnommait maintenant *the Old Chief* se fit résolument l'apôtre du « One Canada » : un Canada uni et qui sait garder ses distances par rapport aux Etats-Unis. Cette fière attitude nationaliste se révéla peut-être rentable sur le plan électoral, mais absolument catastrophique sur le plan économique et diplomatique, notamment dans l'affaire de l'AVRO (14 000 personnes perdirent leur emploi), et surtout, durant la crise cubaine. Qu'on songe qu'à John Kennedy qui lui en avait fait la demande, Diefenbaker refusa d'accorder aux avions américains l'autorisation de survoler l'espace aérien canadien au plus fort de cette crise. La tension entre Ottawa et Washington devint telle qu'aux élections générales de 1963, de puissants organes de presse américains se permettront de combattre ouvertement la politique du « vieux chef » et de prendre fait et cause pour l'équipe libérale de M. Pearson...

Les conservateurs ne purent se maintenir au pouvoir que durant un terme, soit cinq ans. A cause des incompatibilités que Diefenbaker n'a pas su atténuer dans ses relations avec les Etats-Unis, il provoqua la révolte de ses propres collaborateurs. En février 1963, Douglas Harkness démissionna comme ministre de la Défense. Donald Fleming dut démissionner de son côté comme ministre des Finances pour des raisons personnelles. Ces démissions, s'ajoutant au fameux scandale provoqué par une présumée entreprise d'espionnage (l'*affaire Munsinger*), entraînèrent la chute du gouvernement aux élections générales du 8 avril 1963.

Vaincu, Diefenbaker devint la proie des intrigues. Il y eut d'abord la mutinerie que tenta d'organiser, mais sans succès, l'ex-ministre Harkness en 1964, puis le remaniement du parti que Dalton Camp mit en branle à la convention annuelle de novembre 1966. Manœuvrier hors pair, Camp résolut de démolir ce roc inamovible qu'était devenu « Dief ». Il rêvait d'une renaissance conservatrice et d'un chef plus souple en politique internationale et nationale.

En août 1967, les intellectuels du parti, à l'instigation de Camp, se réunissaient à la *Maison Montmorency* — une hôtellerie tenue par les dominicains et située au bord des chutes Montmorency, à quelques kilomètres de la ville de Québec. On a appelé cette rencontre la « conférence des penseurs de Montmorency ». Elle faisait suite à celle qui avait eu lieu à Fredericton en 1964 et elle avait surtout pour but d'établir la politique que les conservateurs entendaient suivre en ce qui concerne le statut du Québec à l'intérieur du Canada.

M. Diefenbaker s'était plaint, à quelques

reprises, du fait qu'on l'avait accusé de ne pas comprendre le sens du mot *nation,* ajoutant que ce mot signifie quelque chose de différent en français et en anglais. Le vieux chef s'en tenait résolument à son concept du « One Canada », rappelant sans cesse que Laurier avait dit que ce pays ne formait qu'une nation. En formulant ce principe, ajoutait-il, Laurier se trouvait respecter l'opinion exprimée par Georges-Etienne Cartier, co-fondateur, avec John A. Macdonald, de la Confédération. « Je ne vais pas, répétait Dief, reculer de cent ans et plus pour reprendre une politique qui s'est révélée fausse, et cela, uniquement pour récolter des votes en 1967. »

Les penseurs de Montmorency ont cherché à dépasser l'idée que se faisait leur chef du Canada. C'est au cours de cette conférence que se manifesta Marcel Faribault, un éminent professeur de droit de l'Université de Montréal. Dans un vibrant discours, il se fit le défenseur du principe des deux nations et d'un statut particulier pour le Québec. Parlant au nom de tous ses compatriotes, l'orateur affirma que la question des deux nations ne pouvait plus être remise en question au Québec et il fit état de l'urgence qu'il y avait de faire inscrire en tête même de la nouvelle constitution un préambule affirmant que le Canada se compose de *deux peuples fondateurs.* M. Faribault souligna l'expression, laquelle, dit-il, pourra être traduite en français par *deux nations.* « Vous pourrez (vous autres anglophones) traduire par *deux races ou peuples fondateurs.* Mais nous (francophones), nous ne pouvons pas dire *people* parce qu'en français ce terme ne veut pas dire *nation,* tout comme le mot *nation* anglais ne traduit pas le mot *nation* français. »

Ces nuances linguistiques de M. Faribault impressionnèrent ses auditeurs qui se laissèrent convaincre, passant outre, par le fait même, au conseil que leur avait donné un certain Marc Lalonde à Fredericton trois ans auparavant. « On pourrait être porté à croire, avait dit M. Lalonde, qu'il existe telle chose que le point de vue du Québec : une opinion nettement définie et qui reçoit l'appui unanime de la population. Un observateur de l'extérieur qui ne connaît le Québec que par ce qu'il apprend des *mass media* est justifié d'entretenir une pareille illusion. Mais une telle unanimité n'existe pas, quoi que prétendent tant et tant de porte-parole officiels du Québec. Pour une bonne partie de l'intelligentsia québecoise et ses porte-parole les plus bruyants, l'aventure canadienne des cent dernières années s'est révélée une faillite totale... Mais ce n'est pas là l'opinion de la population en général, ni même de la majorité de l'intelligentsia du Québec. »

Malgré cette mise en garde, les penseurs de Montmorency virent dans M. Faribault le porte-parole de tout le Québec et l'un d'eux a dit : « Nous devons réaliser que nous formons deux nations, et Québec devrait avoir le droit de signer des accords internationaux. » Le rapport final de la conférence contient un passage rédigé comme suit : « Le Canada est composé des habitants premiers de cette terre et de deux nations fondatrices jouissant de droits historiques, et qui ont accueilli et qui continuent d'accueillir des peuples venus de tous les continents. »

Diefenbaker s'opposa avec la dernière énergie aux vues exprimées par les penseurs. En sa qualité de Canadien n'appartenant ni à l'un ni à l'autre des deux peuples fondateurs, il a naturellement posé la question : si l'on accorde une telle pré-éminence aux deux groupes linguistiques fonda-teurs du pays qu'est-ce qui peut arriver aux quel-que six millions et plus de Canadiens qui sont d'origine autre ? Le vieux lion de Prince-Albert s'en tint résolument à son « One Canada ».

Le congrès dit du leadership eut lieu en septembre 1967 et plusieurs vedettes entrèrent en lice contre Diefenbaker, et dans l'ordre suivant : MM. Davie Fulton, George Hees, Michael Starr, Wallace McCutcheon, Alvin Hamilton et Donald Fleming. Si prestigieux qu'aient paru, dans le temps, certains de ces candidats, on craignait fort qu'aucun d'eux ne parvienne à avoir raison de Diefenbaker lequel, contrairement à ce que certains ont espéré jusqu'à la dernière minute, a refusé de se retirer honorablement, préférant affronter l'assaut des « intrigants » pour l'honneur et pour le salut du « One Canada ». Pour venir à bout du « vieux », on crut devoir faire appel à trois Premiers ministres particulièrement populaires dans leur Province, soit John Robarts de l'Ontario, Duff Roblin du Manitoba et Robert Stanfield de Nouvelle-Ecosse. John Robarts refusa, mais les deux autres acceptèrent d'entrer en lice et n'eurent pas de mal à dominer la campagne et le congrès. Après neuf heures de scrutin et au cinquième tour, M. Robert Stanfield fut nommé chef du parti conservateur, ayant obtenu 1 150 voix contre son plus proche adversaire, M. Duff Roblin 969 voix. Stoïque, John Diefenbaker rentra dans le rang du parti annonçant qu'à l'avenir il se contenterait d'être simple député de Prince-Albert.

Le parti conservateur, grâce au départ de Dief, put se montrer enfin sympathique aux idées mises en avant par les penseurs de Montmorency. M. Stanfield, un Canadien écossais au comportement débonnaire et rassurant, fit connaître immédiatement ses vues conciliantes en ce qui concerne le statut particulier qu'on pourrait envisager pour

le Québec. Le lendemain du congrès, le parti
conservateur pouvait se vanter d'avoir complètement refait son image de sorte que son retour
au pouvoir redevenait une éventualité non seulement probable, mais souhaitable.

Le sursaut libéral.

La régénération du parti conservateur fit soudain paraître terne le parti libéral qui, à cette
époque, traversait lui aussi une période difficile.
Son nouveau chef, M. Lester B. Pearson (élu en
1957), avait dû attendre que s'apaise l'euphorie de
l'époque Diefenbaker avant d'instaurer son régime
à la suite des élections générales du 8 avril 1963.
Mais le parti n'avait obtenu que 129 sièges, les
conservateurs en retenant 95 et les tiers partis le
reste, soit N.D.P. 17, *Ralliement créditiste* 13 et
Social Credit 11. Autrement dit, la victoire libérale
n'avait été qu'approximative. L'équipe Pearson se
trouvait à la merci d'une opposition toute-puis-
sante. De plus, elle demeurait sujette à des dissen-
sions intestines du fait que, d'une part, sa vieille
garde paralysait certaines initiatives ardemment
prônées par les jeunes, et d'autre part, ses *young
men in a hurry* prônaient avec ardeur un nationalisme casse-cou.

C'est dans ces conditions pénibles que la première équipe Pearson entreprit d'élaborer une politique susceptible de renverser la vapeur qu'avait appliquée le régime Diefenbaker.

Homme politique qu'on pourrait surnommer *un Canadien bien tranquille,* M. Pearson n'a rien fait de très spectaculaire, et pourtant il a fait beaucoup. Dès l'automne 1963, il donna suite à la suggestion faite par le journaliste André Laurendeau — suggestion à laquelle M. Diefenbaker s'était farouchement opposé — et créa, en juillet 1964, la fameuse *Commission royale d'enquête sur le bilinguisme et le biculturalisme,* y nommant à la double présidence MM. André Laurendeau lui-même, reflet naturel de l'opinion des francophones, et Davidson Dunton, un anglophone bilingue et fort au fait des relations entre les deux ethnies. La Commission se vit confier la tâche de trouver les bases d'une association égale des *deux races fondatrices,* tout en tenant compte de l'apport des autres groupes ethniques à l'enrichissement culturel du Canada. Curieux caprice du nationalisme, la Commission s'attira surtout des sarcasmes de la part du Québec où on avait le plus réclamé sa création, et plus ou moins d'indifférence dans le reste du pays.

Parmi les autres initiatives d'envergure que prendront la première et la seconde administration

Pearson, on peut faire état, entre autres, d'un fonds de pension national, une loi nationale d'assistance, un supplément garanti pour assurer le bien-être des personnes âgées, l'assurance-maladie, l'unification des forces armées, la création du ministère de la Main-d'œuvre et l'adoption de l'*Unifolié* comme drapeau du Canada.

La première administration Pearson avait hérité du gâchis causé par l'antiaméricanisme de Diefenbaker. Le nationalisme de son équipe parut, dès le départ, plus ambivalent aux yeux des Américains qui attachaient à ce moment-là énormément d'importance à l'entreposage d'ogives nucléaires en sol canadien. Peu après son accession au pouvoir, M. Pearson crut donc sage de jeter un peu de lest de ce côté. Il céda aux instances américaines et s'attira les reproches et les blâmes de plusieurs milieux.

C'est à ce moment-là que, dans *Cité Libre,* un certain Pierre Elliott Trudeau traita d'*idiots* les libéraux qui avaient, en si peu de temps, changé d'avis en matière de politique nucléaire. Le même Trudeau se référa au chef du parti en l'appelant « le pape Pearson », ou encore « le prince défroqué de la paix », allusion cruelle aux antécédents de celui qui avait obtenu le prix Nobel de la paix en 1957.

L'année suivante, le même Trudeau, de concert avec Marc Lalonde et quelques amis, faisait paraître simultanément dans *Cité Libre* et dans le *Canadian Forum*, un manifeste intitulé *Pour une politique fonctionnelle*. Ce texte fit entendre un son de cloche qui parut tout de suite discordant aux yeux d'une certaine élite. En effet, on y lisait ceci :

Faire du nationalisme la règle décidant des politiques et des priorités est un choix stérile et rétrograde. Le débordement du nationalisme déforme la vision qu'on a de la réalité, empêche de poser les problèmes à leur véritable niveau, fausse les solutions envisagées et constitue une technique classique de diversion pour les hommes politiques aux prises avec la réalité.

Un peu plus loin, on pouvait lire encore :

Notre position sur le nationalisme n'est certes pas très répandue à l'heure actuelle parmi les élites bourgeoises ; mais il faut se rappeler que les politiques nationalistes canadiennes ou québecoises n'avantagent généralement que la bourgeoisie et qu'elles jouent contre l'ensemble de la population, en particulier les groupes économiquement faibles.

Personne ne se doutait, au moment où paraissaient ces lignes, que de nouvelles forces commençaient à s'articuler, cependant que la première administration Pearson continuait à s'enfoncer dans la médiocrité et l'adversité. Ce fut d'abord le budget mal conçu du ministre Walter Gordon, budget que l'Opposition se plut à démolir et qui marqua le début de la débâcle. Des bruits couraient d'une collusion de certains personnages politiques avec des intérêts privés. Pearson n'eut pas sitôt surmonté ce contretemps qu'éclata le fameux scandale de l'*affaire Rivard* : une histoire de trafic de drogue où le ministre de la Justice, M. Guy Favreau, se rendit coupable d'une naïveté qui le mit en mauvaise posture. L'affaire Rivard, à laquelle vint s'ajouter des rumeurs de scandale — réfutées par la suite — et impliquant des personnages aussi haut placés que MM. Maurice Lamontagne et René Tremblay, détruisit presque entièrement l'aile québecoise du parti libéral fédéral. Les francophones traversaient, décidément, de rudes épreuves à Ottawa. L'affaire Rivard dégradait leurs porte-parole libéraux, après que l'affaire Munsinger leur eut détruit un ministre du côté conservateur.

M. Pearson comprit très tôt qu'il lui fallait revaloriser son aile québecoise. Il entreprit d'attirer sur la scène fédérale M. Jean Marchand, un homme qui s'était acquis un très grand prestige au Québec en militant, durant plusieurs années, au sein du mouvement syndical.

M. Marchand flaira tout de suite le danger qu'il y avait de collaborer avec M. Pearson au moment où justement le parti libéral se trouvait en si mauvaise posture. Il fit donc savoir qu'il se lancerait en politique seulement si M. Pearson acceptait aussi la collaboration de ses deux amis intimes : MM. Pierre Elliott Trudeau et Gérard Pelletier.

La condition posée par M. Marchand fit aussitôt se hérisser les mentors de l'aile québecoise du parti libéral fédéral. Ces mentors voyaient, en M. Trudeau surtout, un cheval de Troie dont il fallait particulièrement se défier. Mais à la fin, et sur la recommandation de MM. Lamontagne et Favreau, M. Pearson se rendit aux conditions de M. Marchand, et c'est ainsi que débuta l'aventure politique de trois hommes qu'on devait bientôt surnommer *les trois colombes.*

Entre-temps, et à la suggestion du ministre des Finances, M. Walter Gordon, M. Pearson décréta prématurément des élections générales pour le 8 novembre 1965. Il croyait que, par cette initiative énergique, il lui serait possible de renforcer ses positions aux Comunnes. La stratégie échoua — au grand dam de ce pauvre M. Gordon qui l'avait inspirée. Les libéraux ne remportèrent que 130 sièges, soit seulement un de plus qu'au lendemain du scrutin de 1963, mais *les trois colombes* avaient réussi à se faire élire chacune dans sa circonscription. Au nombre des adversaires de M. Trudeau dans la circonscription de Mont-Royal on remarquait un certain Charles Taylor, candidat néo-démocrate en faveur de qui M. Trudeau s'était prononcé, deux ans auparavant, aux élections générales de 1963...

4. L'HOMME POLITIQUE SE RÉVÈLE

Elu en novembre 1965, Pierre Elliott Trudeau devint secrétaire parlementaire du Premier ministre Pearson dès janvier 1966 : un poste qui lui permettra de s'initier, beaucoup plus rapidement que les simples députés, aux rouages complexes des débats parlementaires. En avril de la même année, il est délégué aux réunions de l'Association interparlementaire à Paris, et en décembre, il représente le Canada à la 21e session de l'Assemblée générale des Nations unies.

Entre-temps, un personnage de fort bon conseil avait fait son apparition sur la scène fédérale. Il s'agit d'un ami intime de Pierre Trudeau, M. Marc Lalonde qui, en avril 1966, devenait consultant du Conseil privé et chargé d'un groupe de travail sur la réglementation des valeurs mobilières. M. Lalonde conseillait en outre M. Pearson sur les questions de relations fédérales provinciales, et devint son conseiller politique à mi-temps en novembre 1966.

Le cheminement des carrières de MM. Trudeau et Lalonde sur la scène fédérale mérite d'être

65

signalé. Il aide à comprendre beaucoup de choses.

Durant seize mois, le nouveau député de Mont-Royal restera dans l'ombre, s'initiant aux aspects intimes de la politique canadienne et n'attirant l'attention de la presse qu'au hasard de rares missions officielles, comme par exemple, la tournée des pays francophones d'Afrique en 1967.

Après donc cette courte période de noviciat, Pierre Elliott Trudeau se vit soudain projeter sur la ligne de front. En effet, le 4 avril 1967, il accédait aux hautes fonctions de ministre de la Justice et de Procureur général du Canada, cependant que son ami Marc Lalonde occupait le poste de conseiller politique de M. Pearson, mais cette fois, à plein temps. Ce dernier, poussé par la nécessité, était allé chercher *trois colombes* pour redorer le blason de l'aile québecoise de son parti. Il ne se doutait probablement pas, à ce moment-là, qu'en intéressant trois intellectuels de *Cité Libre* à son œuvre d'épuration et de rénovation du parti, il mettait en branle une équipe nombreuse et dynamique de jeunes réformateurs québecois.

Le cénacle de la Place Ville-Marie.

Un mois après la nomination du nouveau ministre de la Justice, un groupe de jeunes libéraux résolurent de se réunir régulièrement, dans un bureau juché au sommet de l'édifice *Cruciforme,* Place Ville-Marie. Le but de ces réunions : redonner à la politique fédérale vigueur et consistance. Des personnalités diverses y participent plus ou moins régulièrement. Ce sont Marc Lalonde, éminence de plus en plus grise du parti ; le ministre des Forêts, Maurice Sauvé, et trois de ses assistants : Harold Gordon, André Ouellette et John Roberts ; le député de la circonscription de Dollard, Jean-Pierre Goyer ; un homme d'affaires, Claude Frenette ; Jim Davey, gérant d'entreprise à la *Chemcell Limited* de Montréal et spécialiste en administration ; Fernand Cadieux, professeur à l'Université de Montréal.

Parfois, le cénacle de la Place Ville-Marie a le privilège d'accueillir deux visiteurs de marque : Jean Marchand et Pierre Elliott Trudeau. En septembre, les rencontres avaient fini par constituer un noyau permanent composé de Lalonde, Davey, Cadieux, Goyer et Frenette. Ces hommes se posent de très graves questions, même si, en 1967, le Canada s'apprête à traverser la période la plus euphorique de son histoire du fait de la célébration du centenaire de la Confédération, et surtout du fait de la tenue d'une exposition universelle de grande classe à Montréal. Ils entendent ne pas se laisser leurrer par cette euphorie officielle et ils se penchent avec d'autant plus d'inquiétude sur le problème de l'unité du pays qu'un événement traumatisant est venu brusquement rappeler à tout le monde la fragilité des liens qui unissent les Canadiens à l'intérieur de ce pacte politique appelé l'*Acte de l'Amérique britannique du Nord.*

Le 24 juillet, du haut du balcon de l'hôtel de ville de Montréal et en présence d'une foule en liesse où se mêlaient des groupes séparatistes nettement identifiés, le président de la République française lança son fameux *Vive le Québec libre !* L'exclamation s'explique peut-être par l'ambiance et l'enthousiasme du moment. Mais il se peut aussi qu'elle ait été inspirée par la présence, aux premiers rangs de la foule, des *Chevaliers de l'indépendance* : un groupe de jeunes activistes qu'anime le boxeur Reggie Chartrand et qui portent, en guise d'uniforme, un pull-over noir sur lequel on peut lire *Québec libre* en gros caractères blancs. Quoi qu'il en soit, et sans s'en rendre compte, le général de Gaulle se trouvait avoir repris le slogan d'un des groupes séparatistes les plus radicaux. Le Premier ministre du Québec, M. Daniel Johnson, se permit de lui en faire la remarque, mais le visiteur ne jugea pas nécessaire de s'excuser ou d'atténuer l'effet de son exclamation. En conséquence, cette dernière eut un retentissement consi-

68

dérable et sema la consternation dans tout le Canada. Le chef de l'Opposition au Parlement fédéral, M. Diefenbaker, se fit le porte-parole d'un peu tout le monde pour la qualifier de « déplacée ». Comme il n'était pas question d'exiger des excuses, le Premier ministre Pearson dut céder aux pressions venues de partout et émettre une protestation officielle. « Certaines déclarations du président (de Gaulle), a-t-il dit, ont tendance à encourager la faible minorité de notre population qui cherche à détruire le Canada et, comme telles, elles sont inacceptables pour le peuple canadien et son gouvernement. »

Ce qualificatif d'*inacceptable* mit brusquement fin à la tournée canadienne du général, d'autant que M. Pearson ajoutait : « Les habitants du Canada sont libres. Toutes les provinces du Canada sont libres. Les Canadiens n'ont pas besoin d'être libérés. En vérité, des milliers de Canadiens ont donné leur vie durant deux guerres mondiales pour libérer la France et d'autres pays d'Europe. Le Canada restera uni et rejettera toute tentative visant à détruire son unité. »

Le président rentra précipitamment en France, contremandant *ipso facto* la visite officielle qu'il devait faire à Ottawa.

Si l'incident eut l'heur de soulever l'indignation des Canadiens en général, il combla d'aise quantité de nationalistes québecois qui firent aussitôt de de Gaulle leur saint patron. On vit bientôt s'établir une certaine connivence entre le président de Gaulle et le gouvernement du Québec, les deux s'ingéniant à qui mieux mieux à compliquer l'existence du gouvernement d'Ottawa en multipliant les occasions d'inviter à des conférences internationales des délégués du Québec et à les traiter comme des représentants d'un Etat souverain. L'affaire du Gabon se révéla un incident tragico-comique à cet égard. Le Premier ministre Pearson et le ministre de la Justice Trudeau crurent devoir, l'un et l'autre, annoncer que le Canada romprait, non seulement avec le Gabon, mais également avec la France si le Quai d'Orsay persistait à ignorer le gouvernement fédéral dans ses rapports avec le Québec.

Il va sans dire que, dans ces circonstances, l'Union nationale en profitait pour se refaire une image à la mode du jour, cependant que tous les éléments séparatistes du Québec se prévalaient avec désinvolture du vent inespéré que le général avait mis dans leurs voiles.

Il était plus que temps — et les membres du cénacle de la Place Ville-Marie le réalisaient plus que quiconque — de voler à la rescousse de l'unité canadienne, et ce, en commençant par bien préciser l'attitude du parti libéral sur ce point. Certains se plaignaient du laxisme dont faisait preuve le parti en ce qui concerne le nationalisme, le séparatisme et surtout la fameuse théorie des deux nations. D'autres se déclaraient en désaccord avec les positions ambiguës que le chef de l'Opposition libérale au Québec, M. Jean Lesage, avait prises sur le fédéralisme avec l'accord de M. Maurice Lamontagne, grand prêtre du parti.

Le laxisme des libéraux.

C'est un fait qu'à force de s'en remettre à son flair instinctif pour le compromis, le parti libéral fédéral avait cru, lui aussi, tout comme les *penseurs* conservateurs de Montmorency, faire des concessions (jugées plus théoriques que réelles) au nationalisme québecois, notamment en ce qui concerne le fameux concept des deux nations.

Il est plutôt ironique d'avoir à constater, aujourd'hui, que l'un des propagateurs de la thèse des deux nations fut le Premier ministre Pearson lui-même qui, dans un discours aux Communes, le 17 décembre 1962, ne voyait rien qui s'opposât à ce qu'un statut particulier fût reconnu pour le Québec à l'intérieur de la Confédération. Il se plaisait à répéter que le Québec n'est « pas une province comme les autres », et qu'il faut admettre le principe d'une association égale entre les deux races fondatrices du Canada. « La Confédération, ajoutait-il, n'a peut-être pas été techniquement un traité signé entre Etats, mais elle représente une entente, un accord, entre les deux races fondatrices du Canada. »

Parlant à La Malbaie, en août 1963, M. Pearson fit la remarque suivante : « Alors que le Québec est une province dans la Confédération nationale, elle est plus qu'une province, parce qu'elle est le foyer d'un peuple. Dans un sens très vrai, il s'agit d'une nation dans une nation. »

Enfin, dans une allocution prononcée à la télévision de *Radio-Canada,* le 5 janvier 1964, le Premier ministre avait dit : « Nous devons reconnaître que le Québec, par certains aspects vitaux, n'est pas une province comme les autres, mais la patrie d'un peuple. »

Dans tous ces propos, on sent bien l'influence de M. Lamontagne, le conseiller le plus écouté du temps. Mais du fait qu'ils ont été tenus par un homme aussi respecté que M. Pearson, on peut se demander s'ils n'ont pas puissamment contribué à entretenir les ardeurs pro-québecoises dont on crut devoir faire preuve dans les autres partis à Ottawa et au Québec ? Quoi qu'il en soit, en 1967, tous les partis politiques sans exception, au fédéral et

au Québec, honoraient — des lèvres du moins —
les thèses en honneur dans certains milieux nationalistes et particulièrement bruyants du Québec
en ce qui concerne le statut particulier et les deux
nations. A un moment donné, il apparut qu'aucune
force sérieuse ne s'opposait à ces thèses, lesquelles
allaient bientôt se révéler complètement opposées
aux vues pluralistes qu'avaient sur le Canada le
ministre de la Justice et ses amis de la Place Ville-
Marie.

Dans plusieurs articles de *Cité Libre,* M. Trudeau avait établi le rapport entre le nationalisme
et une certaine intelligentsia québecoise. Il a toujours soutenu que cette intelligentsia vit en marge
de la réalité et de la masse du peuple. Alors que
l'histoire progresse en un sens, avait-il écrit, notre
intelligentsia s'oriente dans une direction tout à
fait contraire, avec le résultat qu'il ne lui est plus
possible de communiquer de directives au peuple.

A cause de la confusion créée par le sens instinctif du compromis inhérent à ses dirigeants, et
surtout à cause des remous causés par le passage à
Montréal du général de Gaulle, le parti libéral
fédéral crut devoir, lui aussi, se prêter à un sérieux
examen de conscience. Une conférence des *penseurs* libéraux fut donc convoquée pour la mi-
septembre (1967) à la Maison Montmorency —
là même où avaient cogité les conservateurs le mois

73

précédent. Cette conférence mémorable mettra en parallèle, d'une part, l'esprit de conciliation de l'école de pensée dominée par Maurice Lamontagne, et d'autre part, la froide et inexorable logique de Pierre Elliott Trudeau. M. Lamontagne parut emporter le morceau. Il favorisait le principe d'un statut particulier pour le Québec. « Les libéraux fédéraux, aurait-il affirmé, devraient laisser tomber leur opposition au concept des deux nations et à celui d'un statut particulier pour le Québec — des batailles qu'ils ont déjà perdues — et faire plutôt porter leurs efforts sur la tâche de planifier sur le plan fédéral en vue de l'ère de l'abondance. »

La logique de Trudeau.

Les thèses conciliantes de M. Lamontagne venaient heurter de front celles maintes fois exprimées par P.E. Trudeau. Ainsi, parlant du statut particulier, il écrivait dans la préface à son livre intitulé *Le Fédéralisme et la société canadienne-française* :

Comment concevoir une constitution qui donnerait au Québec plus de pouvoir qu'aux autres provinces, mais qui ne réduirait en rien l'influence

74

des Québecois sur Ottawa ? Comment faire accepter aux citoyens des autres provinces qu'au niveau fédéral ils auraient moins de pouvoirs sur les Québecois que ceux-ci en auraient sur eux ? Comment, par exemple, le gouvernement du Québec pourrait-il se donner des pouvoirs en politique étrangère que les autres gouvernements provinciaux ne posséderaient pas, sans que les Québecois n'acceptent de diminuer pour autant le rôle qu'ils jouent en politique étrangère au sein du gouvernement fédéral ! Bref, comment faire du Québec l'Etat national des Canadiens français, avec pouvoirs vraiment *particuliers, sans renoncer en même temps à demander la parité du français avec l'anglais à Ottawa et dans le reste du pays ?*

Pinçant une corde fort sensible, M. Trudeau ajouta : *Je ne ferai pas aux Québecois l'injure de prétendre que leur province, pour progresser au sein de la Confédération, a besoin d'un traitement de faveur.* Quant à ceux qui se disent favorables aux transformations constitutionnelles radicales, il les prévient : *Le fardeau de la preuve incombe à ceux qui voudraient plonger tout un peuple dans l'inconnu.* Il estime erronée une définition de l'Etat fondée essentiellement sur des attributs ethniques. Un tel Etat, dit-il, se dirige inévitablement vers l'intolérance.

En effet, ajoute-t-il, si le Québec — parce qu'il groupe une majorité de francophones — se définissait constitutionnellement comme l'Etat national des Canadiens français, la même logique — celle du nombre — amènerait toutes les autres provinces et l'Etat fédéral lui-même à se définir (au moins pragmatiquement) comme les Etats nationaux des Canadiens de langue anglaise. Sur le plan des faits comme sur celui du droit, les Canadiens français n'auraient alors rien gagné et ils auraient beaucoup perdu : ils ne seraient ni plus nombreux ni plus cultivés ; et il est peu probable que, même dans le Québec, ils réussiraient à réduire sensiblement l'usage et l'influence de la langue qui domine si puissamment toute la vie nord-américaine.

Abordant enfin ce fameux problème de la langue, Trudeau affirme, en une phrase lapidaire :

Ce qui fait la vitalité et la valeur d'une langue, c'est la qualité de la collectivité qui la parle (...) La question qui se pose dès lors est de savoir si cette collectivité doit concentrer ses énergies sur le territoire québécois, ou si elle doit prendre le Canada tout entier comme point d'appui. A mon avis, elle doit faire l'un et l'autre, et j'estime qu'à cette fin elle ne saurait trouver de meilleur instrument que le fédéralisme.

76

A l'issue de la conférence de Montmorency, les observateurs attentifs auraient pu résumer comme suit la pensée de Pierre Elliott Trudeau : il défend le principe d'une seule nation canadienne face à tous les autres partis qui se montrent plus ou moins accueillants au principe des deux nations : la française qui aurait son gouvernement à Québec, et l'anglaise que regrouperaient présumément toutes les autres provinces.

Réaction de la vieille garde.

La conférence avait à peine achevé ses travaux que M. Jean Lesage prononçait un discours à Sorel dans lequel il critiquait l'attitude de M. Trudeau et demandait qu'une trêve intervienne entre les partis, ajoutant : « Il semble vital d'admettre qu'il y a deux nations au Canada, vital aussi de reconnaître que Québec est le foyer national des Canadiens français. Il existe un troisième principe : Québec doit obtenir un maximum d'autonomie pour protéger ses intérêts économiques, sociaux, culturels en Amérique du Nord. »

Quelque peu écrasé par l'autorité constitutionnelle de M. Lamontagne et le prestige politique de M. Lesage — l'artisan de la *révolution tranquille* — M. Trudeau parut se battre, à ce moment-là, pour une cause perdue. On crut même que, par son attitude impopulaire, il avait sérieusement compromis son avenir politique. C'est M. Lamontagne qui émergeait de la conférence comme principal porte-parole du « nouvel esprit de Montmorency ». Pour sa part, M. Trudeau se réfugia dans le silence. Certains de ses amis crurent que c'en était fait de sa carrière. Son aventure au niveau fédéral semblait avoir échoué. Même M. Lesage l'accusait d'avoir perdu contact avec la majorité de la population québecoise.

Mais l'homme restait tout de même ministre de la Justice. Le 5 décembre 1967, il mit en avant son projet de loi sur le divorce. Il s'agissait d'une entreprise périlleuse à laquelle le gouvernement fédéral n'avait jamais osé s'attaquer. L'intrépide ministre s'y hasarda huit mois seulement après sa nomination à la Justice. Son audace lui valut un immense prestige dans tout le pays. Les journaux les plus écoutés firent son éloge. On lui fit une réputation de réformateur brillant et audacieux.

La situation avait quelque chose de vraiment cocasse. Alors que M. Trudeau était vaincu aux yeux de l'aile québecoise de son parti, ses idées commençaient à triompher dans le reste du pays. Peu avant la rencontre de Montmorency, M. Trudeau avait fait un discours devant l'*Association du Barreau canadien,* discours qui eut un retentissement national. En octobre, à une conférence sur l'unité tenue à Banff, en Alberta, le Premier ministre Pearson fit parvenir une communication dans laquelle il contestait le sens donné par divers porte-parole aux expressions *deux nations* et *statut particulier*. Il repoussait comme ambiguës les définitions données sans aller toutefois jusqu'à contester les principes qu'entendent traduire ces expressions. M. Pearson revenait de loin. La logique de M. Trudeau commençait à l'impressionner.

Pendant que le grand virage s'amorce, les *penseurs* de la Place Ville-Marie suivent de près les événements. Ils savent, par intuition, que les jours du régime Pearson sont désormais comptés. Une élection générale prochaine est à prévoir. Le prochain Premier ministre ne devrait-il pas — conformément à la tradition — être d'expression française ? On sait que le parti libéral respecte cette tradition depuis quatre-vingts ans. Wilfrid Laurier devint chef du parti en 1887 et lui assura l'appui presque indéfectible du Québec depuis lors. Après le long règne de Mackenzie King (élu chef en 1919), Louis Saint-Laurent lui succéda en 1948. Maintenant que s'achève le règne de M. Pearson (élu chef en 1957), n'y aurait-il pas lieu de lui trouver un successeur francophone ?

Telles sont, en ce début d'automne, les graves questions que se posent les jeunes libéraux de

Montréal. L'un d'entre eux aurait, semble-t-il, pris l'initiative de faire approcher le ministre Maurice Sauvé — un homme fort écouté dans le parti — pour l'inciter à poser sa candidature au congrès. Le ministre se récusa, considérant qu'au moment où Québec se trouve en pleine effervescence, le moment est mal choisi de désigner un francophone à la tête du parti.

A la suite du refus de M. Sauvé, on chargea MM. Lamontagne et Gordon d'abord, puis M. Bob Giguère ensuite, d'approcher M. Jean Marchand, le premier choix de M. Pearson dans sa quête d'un nouveau leader de l'aile québecoise du parti. Les événements vont se précipiter. En novembre, le Premier ministre de l'Ontario, M. John Robarts, inaugurera les réunions dites de la *Confédération de demain,* et un mois après, soit le 14 décembre 1967, M. Pearson annoncera sa retraite. Marc Lalonde commence à parler de Trudeau comme successeur éventuel.

5. LA MONTEE AU POUVOIR

Trudeau Premier ministre ?

L'idée parut d'abord loufoque, non seulement aux yeux du ministre de la Justice lui-même, mais encore aux yeux de tous les observateurs qui, dès l'annonce de la retraite de M. Pearson, se mirent, comme il se doit, à spéculer sur les chances des vedettes libérales en disponibilité. On parlait de MM. Paul Martin, Robert Winters, Mitchell Sharp, et même Jean Marchand à la rigueur, mais parler de Pierre Elliott Trudeau comme candidat probable ne faisait décidément pas sérieux. On le jugeait trop volage, trop inexpérimenté, trop imprévisible. Toutefois, chacun se mit à peser le pour et le contre de cette idée jugée saugrenue.

Certes, comme ministre de la Justice, M. Trudeau s'était acquis une popularité certaine dans toutes les provinces anglophones du Canada à cause du *Bill Omnibus*. Mais ce même Bill (voté fin décembre 1967) le rendait — ou du moins semblait le rendre à l'époque — fort impopulaire au Québec. Qu'on songe que cette loi apportait des adoucissements, non seulement aux règlements concernant le divorce, mais aussi à ceux concernant l'avortement et l'homosexualité. Le ministre de la Justice avait fait une déclaration devenue fameuse : *L'Etat n'a pas d'affaire dans les chambres à coucher de la nation.* Il avait dit aussi que le Code pénal n'avait pas à intervenir dans le cas d'activités homosexuelles entre adultes consentants.

M. Trudeau sentait bien que ces sortes d'innovations dans le domaine de la justice apportaient une réforme longtemps attendue, mais il savait aussi que ses adversaires au Québec ne manqueraient pas de brandir ce *Bill Omnibus* pour exploiter les sentiments malsains de la population si jamais il posait sa candidature à la direction du parti. Aussi, lui parut-il plus sage, en cette fin de l'année 1967, de continuer à consacrer le meilleur de lui-même à la réforme de la justice. D'ailleurs, il n'avait aucunement envie, à ce moment-là, de se lancer dans une aventure et surtout de courir le risque de subir le sort des Laurier ou des Saint-Laurent. Et puis, il considérait qu'il appartenait à M. Jean Marchand, bien plus qu'à lui-même, de tenter sa chance à la direction du parti.

Pendant que l'une après l'autre les vedettes libérales annonçaient leur candidature et commençaient à soigner leur publicité, P.E. Trudeau décidait de poursuivre dans l'ombre les tâches plus modestes qu'on lui avait confiées. Le 18 janvier 1968, il part avec deux aides, MM. Rubin et Goldenberg, pour une tournée des Premiers ministres provinciaux en prévision de la conférence constitutionnelle du 5 février. La course au leadership battait déjà son plein. Au moment de son passage à Winnipeg, Trudeau s'arrangea pour éviter un ralliement libéral. Des témoins durent reconnaître que son absence à ce ralliement fut plus remarquée que la présence de la plupart des autres candidats.

Le 26 janvier, le ministre de la Justice était de retour à Montréal pour le congrès des libéraux du Québec. Pour tous ceux qui le voulaient pour nouveau chef, ce congrès avait une valeur indicative. En effet, si Trudeau réussissait à impressionner ses collègues du Québec, peut-être réviserait-il ses positions et poserait-il sa candidature ?

Trudeau affronte le Québec.

Il va sans dire que le cénacle de la Place Ville-Marie se sentait dans de petits souliers. Il savait qu'il n'est pas facile de faire changer d'idée à Pierre Elliott Trudeau. Il savait aussi que le même Trudeau, du fait qu'il n'était pas candidat et qu'il n'avait pas envie de l'être, ne modifierait en rien l'attitude qu'il avait eue à Montmorency. Il savait enfin que le ministre de la Justice n'était pas homme à ménager la chèvre et le chou, même devant les libéraux du Québec.

Le cénacle prépara le congrès avec soin. A l'une des principales sessions, quatre communications furent présentées dans l'ordre suivant : M. Paul Tellier, professeur à l'Université de Montréal et conseiller particulier du ministre de l'Energie et des Mines (M. Jean-Luc Pépin) qui parla de la flexibilité du fédéralisme comme système politique ; le sénateur Maurice Lamontagne décrivit l'évolution du fédéralisme au Canada ; le ministre Maurice Sauvé fit l'examen des réalisations rendues possibles au Canada grâce au système fédéral ; le ministre Trudeau enfin se pencha sur les conséquences qu'auraient, selon lui, les diverses options envisagées présentement par le Québec et les Canadiens français dans le débat constitutionnel.

Maître des opérations au congrès, le député Jean-Pierre Goyer fit en sorte que le ministre de la Justice disposât de quarante minutes, alors que les autres participants n'en disposaient que de vingt. Le sénateur Lamontagne flaira tout de suite la manœuvre. On cherchait visiblement à cuisiner la candidature de M. Trudeau à la « chefferie ».

L'altercation qui s'ensuivit a failli compromettre la session. Le sénateur Lamontagne a même menacé de se retirer du débat. En hommes du monde, toutefois, on parvint à trouver un compromis. Il fut entendu que les orateurs répondraient aux seules questions en rapport avec leur communication. Mais M. Trudeau seul se chargera des questions en rapport avec le statut particulier.

Le journaliste Donald Peacock qui a disposé de renseignements de première main a fait de cette session historique du congrès une description saisissante. Après que MM. Tellier, Lamontagne et Sauvé eurent achevé la lecture de leur communication, le ministre de la Justice s'avança à son tour. Il tenait un bout de papier sur lequel il n'avait griffonné que quelques notes. Il parla tout uniment, dit Peacock. Rien dans sa voix ne trahissait l'émotion. Ses phrases étaient claires et incisives. Elles visaient une à une les thèses constitutionnelles du sénateur Lamontagne. La question peut se résumer en termes fort simples, dit M. Trudeau : s'agit-il d'accorder plus de droits aux Canadiens français ou plus de pouvoir au gouvernement du Québec ? S'il s'agit de reconnaître plus de droits aux Canadiens français à l'intérieur du fédéralisme canadien, le gouvernement de Québec trouvera en nous un allié, car par-delà les partis et les idéologies, le Premier ministre Johnson et le Premier ministre Pearson s'accordent sur ce point.

Personnellement, dit M. Trudeau, *je ne crois pas que c'est un statut particulier dans la Confédération pour le gouvernement de Québec, mais un statut égal à tous les Canadiens français dans tout le Canada qui procurera une unité durable à notre pays. Mais, ajouta-t-il, nous ne devons pas confondre les droits des Canadiens français avec le désir légitime ou illégitime d'un gouvernement provincial de se bâtir un petit empire.*

P.E. Trudeau insista pour dire que les droits des Canadiens français comme individus ne doivent jamais être confondus avec les ambitions de leur gouvernement à Québec. *Je vous demande de garder vos esprits clairs. N'allez pas confondre droits des Canadiens français et pouvoirs provinciaux.*

Trudeau analysa froidement, et l'une après l'autre, les options en présence : l'indépendance du Québec, les Etats associés, le statut particulier. Il les rejeta toutes, les qualifiant d'inacceptables et de trop limitatives. Il favorisa plutôt l'établissement d'un *fédéralisme réformé* qui comprendrait l'extension des droits du français dans tout le pays telle que recommandée par la Commission sur le bilinguisme et le biculturalisme. Il s'est dit conscient du fait que le fédéralisme, même réformé, comporte pour les Canadiens français le risque de se voir éventuellement assimilés dans la culture à prédominance anglophone de l'Amérique du Nord. Mais il offre aussi à la communauté canadienne-française répartie dans tout le Canada le meilleur instrument pour accroître sa qualité de vie ainsi que son expansion sociale, économique et culturelle. Le fédéralisme, par ailleurs, demeure le seul moyen pour le Québec de continuer à exercer le plus d'influence possible à Ottawa. Ce n'est pas seulement le Québec qui est la patrie des Canadiens français, mais tout le Canada.

Visiblement, Trudeau jouait le tout pour le tout. Il défiait ouvertement les thèses constitutionnelles les plus en honneur au Québec. Il s'inscrivait en faux contre un courant qui paraissait irréversible à ce moment-là. Il s'opposa ouvertement aux vues du sénateur Lamontagne, le conseiller respecté des Premiers ministres Saint-Laurent et Pearson. Il osa même discuter en termes à peine voilés des formules qu'avaient maintes fois utilisées le Premier ministre et le chef de l'Opposition du Québec, MM. Daniel Johnson et Jean Lesage. Bref, comme le note encore Peacock, Pierre Elliot Trudeau a joué ce matin-là sa carrière politique. Dès qu'il eut achevé son exposé, les quelque mille délégués dans la salle se levèrent dans un tonnerre d'applaudis-

sements. Etonné par cette explosion d'enthousiasme, l'orateur salua timidement la foule d'une
main hésitante. L'exposé avait fait sérieusement
réfléchir. Certaines vedettes politiques qui, jusque-
là, s'étaient dit en faveur des thèses de M. Lamontagne, admettaient déjà avoir été ébranlées et
reconnaissaient que M. Trudeau avait parlé comme
un chef. Tous les délégués présents sentirent qu'un
souffle puissant venait de passer sur leur tête :
un phénomène politique venait de naître. Seul l'auteur de ce branle-bas ne semblait pas comprendre
ce qui venait de se passer. L'éditorialiste du journal
Le Devoir (et c'est toujours Peacock qui le signale)
fit l'éloge de la vigueur intellectuelle, de la séduc-
tion et du courage du ministre de la Justice. « Il
est capable, écrivit M. Ryan, de s'élever, sans aucun
artifice oratoire, à un degré de clarté et de simplicité qui est un sommet de l'éloquence à notre
époque. »

L'exploit de M. Trudeau eut un retentissement
national. Même dans les provinces des Prairies
— forteresses conservatrices depuis 1958 — on
faisait preuve d'intérêt pour le parti libéral tel
que symbolisé par ce jeune ministre aux manières
et au style tellement inédits. Dès lors, sa candidature comme successeur éventuel de M. Pearson
cessa de paraître, aux yeux de maints observateurs,
une éventualité impensable et saugrenue. La

stratégie des *penseurs* de la Place Ville-Marie avait réussi au-delà de toute espérance.

Affrontement Trudeau-Johnson.

A la conférence constitutionnelle qui eut lieu à Ottawa dix jours après le congrès (5 février), le ministre de la Justice apparut comme le maître auquel allaient désormais se référer les autorités fédérales. D'ailleurs, tous les documents officiels portaient déjà sa marque, et c'était un peu normal. En entrant en politique en 1965, il avait insisté pour que le parti libéral adopte une attitude ferme en faveur d'un fédéralisme élargi et rénové, et pour qu'il s'inscrive en faux contre l'idée d'un statut particulier pour le Québec. Selon lui, le Canada ne comprend pas deux nations ; il n'en forme qu'une seule, mais cette nation reconnaît deux langues officielles. Nul doute que M. Trudeau, à titre de ministre de la Justice, et à titre de spécialiste en matières constitutionnelles, avait fait le nécessaire pour que se raffermisse l'attitude du parti libéral sur ces points précis.

La conférence ne se déroula pas sans incident. Devant les caméras de la télévision, M. Trudeau, à un moment donné, fit un vibrant réquisitoire en faveur de l'intégration des droits linguistiques dans la Constitution. Venant d'un Québecois, et pour comble d'un ministre qui jouissait à ce moment-là d'un préjugé favorable dans toutes les provinces, cette idée de protéger constitutionnellement les droits linguistiques des francophones avait toutes les chances de passer comme une lettre à la poste. A la surprise générale et contre toute logique, c'est le Premier ministre du Québec, M. Daniel Johnson, qui fit des manières et qui s'empressa de se prévaloir de la perche que lui a tendue le Premier ministre Manning de l'Alberta pour faire écarter l'idée. Les anglophones du pays n'ont pas manqué de s'étonner de cette attitude inexplicable de M. Johnson. Certains se sont demandé si ce dernier ne détestait pas plus M. Trudeau qu'il n'aimait la langue française. D'autres ont plutôt vu une irritation de la part du Premier ministre du Québec face au fait, maintenant presque acquis, que le ministre de la Justice tenterait, en sollicitant la direction du parti libéral fédéral, de faire éclater l'abcès du nationalisme québecois.

Les événements qui suivirent apportèrent plus d'un éclaircissement. A peu près dans les jours où se tint la conférence constitutionnelle, parut une traduction anglaise des principaux écrits de M. Trudeau sous le titre *Federalism and the French Canadians.* Cette publication connut aussitôt un succès de librairie. Elle dut être réimprimée trois fois en trois mois.

Dès lors, les événements se sont précipités. Le 15 février, M. Trudeau annonçait enfin officiellement sa candidature à la direction du parti, et le lendemain, il donnait une conférence de presse mémorable au cours de laquelle il précisa sans ambages ses positions, réaffirmant son opposition à toutes les thèses devenues populaires au Québec. *Ceux qui ne sont pas d'accord là-dessus,* se plaira-t-il à répéter avec désinvolture durant la campagne au leadership, puis durant la campagne électorale qui lui fit suite, *n'auront qu'à voter contre moi.* Jamais homme politique canadien n'avait fait preuve d'autant d'impertinence et de témérité.

Le 18 février, le parti libéral fédéral se fit humilier d'une façon incroyable. Le Premier ministre Pearson était alors en vacances en Jamaïque. Le gouvernement avait réussi, dans les semaines précédentes, à faire accepter en deuxième lecture le *Bill C-193,* une loi peu populaire dite du cinq pour cent. Par un concours de circonstances vraiment cocasses, la loi fut rejetée en dernière lecture. Il s'ensuivit une querelle sur la question de savoir si le vote contre cette loi en troisième lecture n'équivalait pas à un désaveu. L'incident mit le parti libéral en fort mauvaise posture, car si l'opposition put, à ce moment-là, mettre le gouvernement en minorité, c'est parce que la plupart des candidats à la direction du parti n'étaient pas en Chambre au moment du vote. Ils s'intéressaient bien plus à leur campagne qu'à la surtaxe de cinq pour cent que le gouvernement cherchait à imposer comme mesure destinée à combattre l'inflation.

Mais le ministre de la Justice était à son poste, et l'incident a contribué à ajouter à sa popularité et à son prestige. Dans les quelques jours qui suivirent, il sut invoquer les précédents qui, en politique canadienne et britannique, prouvent que la mise en minorité du gouvernement en troisième lecture d'une loi ne constitue aucunement un vote de non-confiance. Les choses à la fin tournèrent à l'avantage du gouvernement et du ministre de la Justice qui, une fois de plus, avait fait preuve de compétence et d'autorité.

L'annonce de sa candidature à la direction du parti provoqua à la fois une énorme vague d'enthousiasme, de même qu'une formidable explosion de haine.

Les trompettes de la haine.

Dès le début de la campagne, Trudeau fit une déclaration qui provoqua un nouvel accrochage avec le Premier ministre Johnson. Au cours d'une émission télévisée en anglais sur les ondes de *Radio-Canada,* il avait fait la remarque suivante : *Je ne crois pas qu'Ottawa doive accorder une once de plus de pouvoir à la Province de Québec tant qu'elle n'aura pas démontré au reste du Canada qu'elle peut enseigner un meilleur langage dans les écoles.* Et il avait ajouté que certains nationalistes et séparatistes québecois parlent un français « affreux ». Il a renchéri en insinuant que ces gens-là *want to impose this lousy French on the whole of Canada (ils veulent imposer ce français affreux au reste du Canada).* Le gouvernement du Québec, affirma encore Trudeau, devrait reconnaître qu'il existe un état d'urgence en ce qui concerne la langue française. Le Québec jouit d'une entière autonomie en matière d'éducation depuis cent ans. Ce n'est pas la faute du reste du Canada si *our French is lousy.*

Cette sortie fit naturellement hurler tout ce que la Province de Québec compte de nationalistes. Pour rendre Trudeau le plus odieux possible, on fit semblant d'ignorer le sens américain de l'adjectif *lousy* qui, en anglais classique — signifie *pouilleux,* et en américain *moche, affreux.* On eut tôt fait d'en déduire que, dans l'esprit du ministre de la Justice, les Canadiens français n'étaient que des pouilleux. Le Premier ministre Johnson reprocha à P.E. Trudeau de dénigrer les siens dans le but de recruter des votes au Canada anglais. De son côté, le chef du mouvement souverainiste, René Lévesque, qualifia Trudeau de « roi nègre des Canadiens français » ; « un roi nègre dans un veston sport, précisa-t-il, et qui offre de maintenir les *naturels* du Québec dans le rang afin de se mériter l'appui de l'*Establishment* anglophone » dans la course à la direction du parti.

Le président de la *Corporation des enseignants du Québec* fit adopter par son organisme un vote de blâme contre M. Trudeau. Des journaux comme la *Voix de l'Est* et *Le Droit* d'Ottawa crurent que les Canadiens français avaient été insultés et qualifièrent l'insulteur de « libéral rétrograde ».

L'inimitié entre l'Union nationale et le ministre de la Justice remonte à plusieurs années. Les anciens du parti se souviennent que Trudeau est l'un des rares hommes que Maurice Duplessis, leur vénéré chef, n'a jamais réussi à faire taire. La hargne anti-Trudeau dans les milieux nationalistes s'explique également. Elle se révéla particulièrement féroce à la faveur de l'incident dit du « lousy French ». Des extrémistes proclamèrent que le ministre de la Justice était vendu à l'élément canadien-anglais. Ils ajoutaient qu'un vendu finit toujours par devenir un traître... comme l'ont été avant lui, précisait-on, les Sir Wilfrid Laurier et les Sir

94

Georges-Etienne Cartier. On a insisté souvent là-dessus.

Le chef de file des conservateurs au Québec, Marcel Faribault, a accusé de son côté Trudeau de dresser, pour des fins électorales, une partie du Canada contre le Québec. Le Premier ministre Johnson le ridiculisa en l'appelant « Lord Elliott », entendant l'apparenter ainsi à Lord Durham, un haut fonctionnaire britannique du siècle dernier qui, aux yeux des nationalistes québecois, passe pour le fossoyeur de la « race » canadienne-française. Trudeau ne pouvait laisser passer sans rien dire la boutade du Premier ministre québecois. *M'appeler Lord Elliott,* dit-il en plaisantant, *quand on s'appelle Johnson, c'est s'aventurer sur un terrain glissant.*

Mais ce ne sont là que des gentillesses comparées à l'affligeante campagne de dénigrement et de haine que lança contre le candidat Trudeau l'extrême droite politique et religieuse du pays. Les principaux instigateurs de cette campagne furent, pour l'Ontario, le Canada Intelligence Service de Flesherton, la Edmund Burke Society de Scarborough, le Canadian Council of Evangelical Protestant Churches de Toronto, la Evangelical Mission of Converted Monks and Priests de Stoutville. Au Québec, ont été à la pointe du combat, les *Bérets blancs,* association mi-religieuse

95

mi-politique, qui publie un périodique appelé *Vers Demain.* Certains ecclésiastiques et laïcs mirent également leurs talents à contribution.

Les dénigreurs ont commencé par bien établir que Pierre Elliott Trudeau avait fréquenté Harvard, « cette pépinière d'intellectuels gauchistes », ainsi que la London School of Economics où « le professeur marxiste Harold Laski » eut sur lui une influence néfaste.

On fit ensuite abondamment état du fait que Trudeau fut l'un des fondateurs de *Cité Libre,* le pendant québécois d'*Esprit,* revue « progressiste » de France. Tribune naturelle des « intellectuels gauchistes », *Cité Libre* a publié des textes de Raymond Boyer (reconnu coupable d'espionnage en rapport avec l'affaire Gouzenko), de Stanley B. Ryerson, théoricien du marxisme au Canada, et de Pierre Gélinas, directeur de la section « Agitation et propagande » de l'aile québecoise du parti communiste.

On fit aussi abondamment état des allées et venues du candidat à la direction du parti libéral. N'avait-il pas participé à une délégation économique à Moscou en 1952 ? N'était-il pas à Changhaï au moment même où Mao Tsé-toung, « son idole », achevait la révolution chinoise ? N'a-t-il pas été admis en Chine rouge par la suite ? N'a-t-il pas tenté de transporter des armes destinées à Fidel Castro en 1961 ?

Ces faits « inquiétants » établis, les dénigreurs s'ingénièrent à tirer les conclusions les plus abracadabrantes. Les pamphlets distribués par les groupements religieux se surpassèrent. L'un d'eux entreprit de démontrer que le Kremlin et le Vatican sont les deux dictatures qui s'appesantissent sur le Québec où, en effet, « le communisme international et le catholicisme romain, tels deux titans, se donnent la main pour abrutir les Canadiens français, avant d'étendre leur domination sur le reste du pays ». Or, M. Trudeau est un « catholique romain » et un « communiste notoire ». N'est-il pas l'instigateur du *Bill S-5* contre la littérature haineuse ? Ce Bill n'a qu'un but : empêcher les honnêtes gens de critiquer le communisme, proclamaient les pamphlets.

Le Canada Intelligence Service a fonctionné à plein. En mars 1968, il a publié un pamphlet signé par Pat Walsh, un ex-membre du parti communiste, converti par la suite, et que le pamphlet présente en préface comme « ex-agent de la R.C.M.P. » (gendarmerie canadienne). En plus de se voir traité de « communiste » et de « gauchiste », Trudeau — à cause du *Bill Omnibus* — s'est vu attribuer le titre de « promoteur de déviation sexuelle ».

97

Incidemment, c'est ce fameux Bill qui servit de thème préféré aux *Bérets blancs* de la Maison Saint-Michel à Rougemont. Ces vibrants « pèlerins d'un monde meilleur » (comme ils se désignent eux-mêmes) n'hésitèrent pas à relier, dans leur journal *Vers Demain,* le communisme et l'homosexualité. En première page de ce journal, et en gros caractères, on pouvait lire dans le numéro de mai-juin ceci : « Elliott-Trudeau, pro-soviétique, pro-Castro, pro-Mao, veut faire du Canada un pays socialiste comme la Chine. Le parti libéral se déshonore en en faisant son chef. C'est la bête de la propagande qui l'a engendré ; c'est la bête de Sodome qui inspire ses projets de lois. Les électeurs du Canada ne peuvent pas voter pour le parti de Trudeau. »

Certains de ces pamphlets ont été distribués à des millions d'exemplaires en Ontario, au Québec et dans les Maritimes. Au Québec, selon plusieurs reporters, une campagne orale de calomnie a surtout fait rage dans des régions comme le Lac Saint-Jean, la Gaspésie et le Bas Saint-Laurent.

Cette campagne de dénigrement qui s'est poursuivie tant durant la course au leadership que durant la campagne électorale semble avoir laissé plutôt froid celui qui en était la cible. Il s'est contenté de déplorer ce retour aux mœurs électorales du siècle dernier. Durant ce temps, la campagne se poursuivait fébrilement. Une bonne partie de l'intelligentsia québecoise a naturellement boudé le candidat Trudeau. La presse francophone s'est montrée plutôt hostile, et parfois mesquine, entretenant comme à plaisir la tempête ridicule au sujet du *lousy French.*

Au début de mars, la plupart des libéraux provinciaux, y compris Jean Lesage, menaient campagne quasi ouvertement contre Trudeau et à peu près pour les mêmes raisons que M. Johnson. La plupart appuyaient la candidature de M. Paul Martin, représentant du *rank and file,* et tout semblait indiquer que M. Lesage favorisait, pour sa part, celle de M. Robert Winters.

A un moment donné, le Premier ministre Johnson a lancé l'avertissement : choisir Trudeau comme successeur de Pearson voudrait dire la fin du Canada. M. Johnson est allé jusqu'à qualifier de « fossile » le ministre de la Justice.

Un triomphe spectaculaire.

L'hostilité des autorités politiques du Québec ne put rien contre la popularité grandissante du candidat Trudeau dans tout le reste du pays. On l'acclamait partout comme un phénomène et une idole. A Winnipeg, une jeune fille s'est écriée en l'apercevant : « It's more than Canada deserves » (le Canada n'en méritait pas tant), tandis qu'au Québec, des jeunes faisaient ostensiblement la moue et disaient : « Le Canada méritait mieux. »

Partout où passait « le phénomène », il tranchait nettement sur ses adversaires. Il avait l'art de la phrase claire et concise qui frappe l'imagination. Son style paraissait mieux adapté aux grandes foules. Il se dégageait et se dégage encore de sa personne une force d'attraction à laquelle peu de gens échappent.

La convention libérale eut lieu au centre sportif Lansdowne Park à Ottawa. Quelque 8 000 personnes y participèrent. Le soir des grands discours, les candidats prirent place avec chacun leur organisation (majorettes, fanfares, hôtesses, porteurs de pancartes, etc.) dans les gradins du vaste centre sportif.

Chaque candidat ne disposait que de trente minutes pour son discours et la manifestation de ses supporters. La manifestation de l'un s'efforce de renchérir sur celle de l'autre, de sorte que les pancartes et banderoles multicolores, les chants, les bans et les mouvements de foule dégénèrent en un véritable « pageant ». M. Trudeau crut devoir se passer de tout cet apparat, ses organisateurs s'étant contentés de répartir écussons et pancartes sur tout le pourtour du centre sportif. Après avoir réussi à calmer les clameurs de ses partisans, il prononça un discours bref et fort simple dont voici un extrait :

Le triomphe en politique de la logique sur les passions, dit-il, *la protection de la liberté individuelle contre la tyrannie collective et un partage équitable du bien-être national,* tels doivent être les objectifs du parti. *Pour plusieurs d'entre nous,* poursuivit-il, *le monde d'aujourd'hui est parvenu au seuil de l'âge d'or. En construisant une société vraiment juste, notre pays si beau, si riche et si énergique peut devenir un modèle où chaque citoyen pourra jouir de ses droits fondamentaux, et dans lequel deux grandes communautés linguistiques et des ressortissants de plusieurs cultures différentes pourront vivre en harmonie et réaliser leur plein épanouissement.*

Le discours sans éclat souleva un enthousiasme indescriptible. Selon les habitués de ces sortes de manifestations, la performance oratoire de Pierre Elliott Trudeau ce soir-là mit en branle une manifestation unique dans les annales de la politique canadienne. Les applaudissements et les acclamations fusaient de partout. Tous les délégués ont semblé à ce moment-là oublier leur candidat respectif pour s'associer à un enthousiasme général et communicatif. Plusieurs observateurs n'en revenaient pas. « Il n'est pas possible d'organiser une manifestation de cette envergure », dit l'un d'eux. « Si quelqu'un a pu organiser une manifestation pareille, a fait remarquer de son côté le ministre Charles Drury, personne n'a pu organiser le silence qui s'est établi dans le vaste auditoire lorsque Trudeau a commencé à parler. »

Sur les quelque 8 000 personnes qui ont participé à la convention, seules 2 396 avaient le droit de vote. Au premier tour, le samedi après-midi, les candidats se classèrent comme suit : Greene, 169 voix ; Hellyer 330, Kierans 103, MacEachen 165, Martin 277, Trudeau 752, Turner 277 et Winters 293. Au deuxième tour, M. Trudeau récolta 964 voix. Il ne lui en manquait plus que 221 pour avoir la majorité. Par ailleurs, M. Winters n'obtenait que 473 voix, Hellyer 465 et Turner 347. Au troisième tour, Trudeau obtint 1 051 voix, Winters 621, Hellyer 377 et Turner 279. Au dernier tour, la tension était devenue extrême. Les adversaires de Trudeau demeurés en lice ne se faisaient plus d'illusions. Lorsque le sénateur Nichol, président d'élection, s'approcha du microphone pour donner les résultats, il n'eut qu'à crier : « Trudeau, 1 203, et ce fut le délire. MM. Winters conservait 954 voix et Turner terminait avec 195. Ces derniers chiffres se perdirent dans le brouhaha général. Durant les quatre tours, M. Trudeau était demeuré calmement à son siège. Le seul geste de nervosité que purent surprendre les caméras de télévision fut celui où, à un moment donné, il se mit à mordiller la tige d'un œillet. Cette photo parut dans tous les journaux du continent.

6. NAISSANCE DE LA TRUDEAUMANIE

L'élection de Pierre Elliott Trudeau à la direction du parti libéral inspira des observations grandiloquentes à maints éditorialistes. L'*Evening Standard* de Londres écrivit : « Pour la première fois, depuis l'assassinat de Kennedy à Dallas, un chef politique d'envergure nationale se lève. C'est actuellement l'homme politique le plus exaltant de l'autre côté de l'Atlantique. » De son côté, le *Toronto Star* crut voir dans le nouveau chef un Adlai Stevenson devenu athlète et qui possède quelques-unes des meilleures caractéristiques de John F. Kennedy. Enfin, le *Winnipeg Free Press* exprima l'avis que les Canadiens espéraient de grandes choses de Trudeau, tout comme les Américains avaient mis en Kennedy beaucoup d'espoir.

Dans les jours qui suivirent son élection à la direction du parti, le nouveau chef s'employa à former un cabinet et, le 20 avril, avait lieu, dans le grand salon de l'Hôtel du gouvernement, à

Ottawa, l'assermentation du quinzième Premier ministre du Canada.

C'était plutôt un cabinet *pro forma* qui se groupa autour du nouveau chef pour la photo officielle. Aucun ministre n'avait obtenu d'avancement, sauf Mitchell Sharp qui devenait ministre des Affaires extérieures. Aussi, les reporters n'ont pas manqué de noter qu'il était le seul à sourire gentiment sur la photo, alors que les autres avaient une mine plutôt lugubre. C'est qu'ils ignoraient que, trois jours plus tard, le Premier ministre Trudeau ferait une annonce importante. En effet, ce jour-là, après la courte allocution qu'il prononça pour remercier ceux qui lui avaient fait parvenir des félicitations (notons en passant l'imprévisibilité de l'homme), il fit une courte pause puis enchaîna : *Cet après-midi, j'ai demandé au Gouverneur général de dissoudre le Parlement et de proclamer des élections générales pour le 25 juin. Monsieur l'Orateur, par proclamation sous le grand Sceau du Canada en date du 23 avril 1968, le présent Parlement est dissous et les membres et sénateurs sont dispensés d'y assister.*

La Chambre manifesta bruyamment sa joie, plusieurs ne pouvant s'empêcher d'admirer le cran de cet homme qui ne reculait devant aucun risque. En effet, s'il allait perdre les élections qu'il annonce, il n'aura été Premier ministre que trois mois. Les intimes tâchaient de dissimuler leurs appréhensions. L'emprise que le candidat à la direction avait eue sur la foule partisane à la convention, le nouveau Premier ministre la conservera-t-il sur les foules non politisées ? L'ex-Premier ministre Pearson, ainsi que MM. Marc Lalonde et Trudeau lui-même en doutaient fortement.

La campagne débuta avec ferveur et dynamisme. Elle devait bientôt se révéler harassante, surtout pour les correspondants qui eurent à suivre Trudeau d'un océan à l'autre. L'un d'eux eut bientôt à s'en plaindre. « En moins de dix heures, écrivit-il, le Premier ministre a parcouru 4 500 milles (7 200 km), survolé le Canada de l'Atlantique au Pacifique, franchi quatre fuseaux horaires et épuisé tous les gens de sa suite. »

L'organisation du parti avait loué un avion DC-9 d'*Air Canada*. Dès que le jet se posait à Toronto, Winnipeg ou Vancouver, le Premier ministre partait en hélicoptère faire la tournée des plazas ou centres commerciaux des diverses villes environnantes. Quand le temps lui permettait une halte dans un motel, il en profitait pour faire quelques plongeons acrobatiques dans la piscine. A Oakland, il en fit un particulièrement vertigineux pour indiquer la dégringolade qui, selon lui, attendait ses adversaires des autres partis le 25 juin. Souvent, on l'a vu se retirer à l'écart et se tenir sur la tête durant quelques minutes à la façon des yogis. Il sortait frais et dispos de ces sortes d'exercices, au grand ahurissement de ceux qui avaient à le suivre.

Des foules en délire.

Ce qu'avaient craint MM. Pearson et Lalonde se révéla bientôt sans fondement aucun. Partout où passait le Premier ministre, les foules semblaient électrisées. Non seulement les jeunes, mais les adultes et des personnes avancées en âge se laissaient séduire. Des hommes et des femmes d'origines ethniques diverses, des gens de niveau intellectuel différent, des personnes de tous âges et de toutes conditions cédaient comme en dépit d'elles-mêmes à ce que les journalistes ont appelé la *trudeaumanie*. En ma qualité de journaliste, j'étais à Toronto le jour où Trudeau fit son apparition sur la grande place de l'hôtel de ville sur le coup de midi. Toronto est une ville qui a la réputation d'être fort réservée, surtout dans le secteur financier et administratif de *Bay Street*. En voiture ouverte et saluant d'un air timide, Pierre Elliott Trudeau parcourut la célèbre rue des affaires. Près de moi, un gentleman à l'apparence fort aristocratique regardait le cortège par-dessus la foule. Un autre gentleman l'apostropha :

— Harold ? Vous, dans cette cohue ?

— Je n'ai pu résister, répondit en rougissant gentiment l'aristocrate. Il fallait que je descende voir.

Sur la grande place, quelque cinquante mille personnes se rassemblèrent en moins d'une heure. Les agents de la circulation avaient beaucoup de mal à écarter les fillettes qui brandissaient des carnets d'autographes ou qui sollicitaient un baiser du Premier ministre. J'ai vu deux vieilles dames agiter la main d'une manière espiègle dans le but d'attirer son attention. Il s'est contenté de prononcer une vingtaine de phrases banales, et il a provoqué les acclamations délirantes de cette foule dense.

La manifestation de Toronto est en quelque sorte le prototype de celles qui se produisirent partout ailleurs. On s'arrangeait toujours pour que le Premier ministre se présente aux heures de pointe, soit à l'heure du lunch, ou encore, au moment de la semaine où les gens se rendent en plus grand nombre faire leurs emplettes dans les centres commerciaux. Ainsi, il était possible de voir le Premier ministre sans qu'il soit nécessaire de se déranger d'une façon particulière. C'était tout à fait nouveau comme tactique au Canada. Durant ce temps, le chef du parti conservateur s'en tenait aux formules traditionnelles. Il parlait devant des salles à moitié remplies et qu'il devait louer à prix fort. Des observateurs ont noté que M. Trudeau paraissait constamment à l'attaque alors que son adversaire, M. Stanfield, semblait constamment sur la défensive.

Les organisateurs de la campagne de Trudeau durent bientôt se rendre à une évidence : les masses ont considérablement évolué. Les discours onctueux de l'ancienne école les ennuient. Ce qui les intéresse, ce sont des idées simples et claires, exprimées sans fard. Or, c'est justement ce que leur sert le Premier ministre. Un collègue avait remarqué durant la campagne à la direction du parti que M. Trudeau était le type du réaliste qui croit en l'art de la persuasion et estime que les gens peuvent être persuadés par la simple logique.

Les courtes allocutions du Premier ministre tendent toutes à réfuter l'un ou l'autre des arguments des nationalistes québecois, ou à fustiger ceux qui se montrent trop conciliants à leur endroit. Devant tel auditoire, il expliquera en termes incisifs pourquoi il combat les thèses des deux nations ; devant tel autre, il dira pourquoi il estime que la séparation du Québec serait une catastrophe pour les Canadiens français et pour tout le reste du Canada.

Tous ses propos sont marqués au coin de la simplicité : pas un lieu commun, rien d'à peu près, aucune tentative d'éviter un sujet délicat, ou une question impertinente de l'auditoire. Partout, la trudeaumanie produit son effet. Les auditeurs semblent surtout séduits par la simplicité et la spontanéité de l'homme. On perçoit en lui le type du Canadien idéal, le Canadien de demain : un homme en mesure de pratiquer le bilinguisme intégral ; un homme qui, non seulement se débrouille dans les deux principales langues du pays, mais qui les parle avec aisance et élégance. Le journaliste Peter Newman a noté avec enthousiasme ce phénomène. Ceci nous change fort agréablement, dit-il, des hommes politiques ordinaires d'Ottawa. M. Trudeau, ajoute-t-il, « n'a pas à prononcer péniblement quelques banalités sucrées, pour plaire à tel groupe, avant de commencer son véritable discours dans sa langue maternelle ; en ce sens, il apparaît comme un Canadien modèle ». Au *Victoria Times,* le style du nouveau Premier ministre inspire une réflexion analogue : « Le Canada qui naît sera sensiblement différent de celui que nous avons connu et... la pensée de M. Trudeau s'harmonise fondamentalement avec un Canada nouveau. »

Quelle est, fondamentalement, cette pensée ? Elle peut se résumer, en ce qui concerne le Canada français, à une phrase lapidaire que Trudeau avait développée dans *Cité Libre* dès 1961. *Ouvrons les frontières,* avait-il dit, *ce peuple se meurt d'asphyxie.* Au reste du Canada, il prêche la tolérance dans le pluralisme. *Nous croyons que la manière d'envisager le monde de demain,* dira-t-il un jour devant les membres du National Press Club à Washington, *c'est la manière pluraliste, laquelle ne saurait reposer sur l'ethnie, pas plus que sur la religion.*

Les dés sont jetés, a-t-il dit à un journaliste de la revue « Life ». *Il y a deux groupes ethniques et linguistiques principaux au Canada ; chacun de ces groupes est trop profondément enraciné dans le passé, trop fermement lié à une culture mère pour prétendre absorber l'autre. Il n'y a pas de problème québecois ; nous avons un problème français-anglais.*

Il répète souvent aussi que le Canada sera un pays fort lorsque les Canadiens de toutes les provinces sentiront que tout le Canada leur appartient. *Nous ne voulons rien de plus,* dit-il, *et nous n'accepterons rien de moins. Nous devons demeurer maîtres de notre propre maison, mais notre maison c'est tout le Canada.*

L'ennemi du nationalisme.

Trudeau heurte constamment de front un certain nationalisme québecois pour qui le pancana-

112

dianisme est une hérésie. Ses attaques contre le nationalisme sont d'ailleurs fréquentes et passionnées. *Lorsque je parle contre le nationalisme,* dit-il, *je me réfère à cette sorte de philosophie politique qui prend ses racines à la fin du XVIIIe siècle et qui a produit tant de fruits gâtés.*

Au hasard de ses nombreux voyages en Europe et en Asie, P.E. Trudeau avait pu apprécier les dégâts causés par ce nationalisme-là et il n'avait pas été long à comprendre que les systèmes idéologiques, d'où qu'ils viennent, sont les vrais ennemis de la liberté. *Je suis contre toute politique basée sur la race et la religion. Au cours des cent cinquante dernières années, le nationalisme s'est révélé une idée rétrograde.*

Selon le professeur Gabriel Breton de Montréal, la pensée sociologique de Trudeau a toujours été centrée sur l'antinationalisme, lequel, ajoute le professeur, est aussi stérile que le nationalisme, attendu qu'il procède de la même dialectique. Mais M. Trudeau établit certaines distinctions. C'est le néo-nationalisme québecois qui lui répugne davantage, celui qui se manifeste depuis 1960. *Les néo-nationalistes me semblent d'autant plus condamnables qu'ils se bâtissent une justification philosophico-politique pour un nationalisme d'expansion au moment où ils en sont arrivés à un stade où ils n'ont plus besoin d'un simple nationalisme de défense.* Incidemment, Trudeau se montre beaucoup plus tolérant à l'égard de ce « nationalisme de défense », c'est-à-dire le nationalisme d'autrefois. Dans le passé, on se défendait effectivement contre les dangers extérieurs. *J'ai attaqué cette doctrine-là,* explique M. Trudeau, *à cause de ses conséquences, mais elle me paraît quand même sympathique parce que c'est un phénomène de petit peuple agressé qui se défend comme il peut.* Le néo-nationalisme est autre chose. *La vérité,* dit encore le Premier ministre, *est que la contre-révolution séparatiste est l'œuvre d'une minorité petite-bourgeoise et impuissante qui a peur d'être laissée à l'arrière par la révolution du XX*[e] *siècle.* Aux francophones de tout le Canada, M. Trudeau propose donc un fédéralisme réformé qui, selon lui, leur offre infiniment plus qu'un nationalisme défensif et obscurantiste.

Mais c'est contre la thèse des deux nations et du séparatisme que P.E. Trudeau en a le plus. *Quelles deux nations ?* demande-t-il souvent à ses auditeurs. *Le Canada compte des douzaines de nations dans le sens sociologique du terme, à commencer par les Amérindiens et les Esquimaux.* A des électeurs de Colombie-Britannique, il lance : *Nous formons un pays de minorités ; un pays composé, non pas de deux nations, mais de cinquante nations. La confusion provient de ce que certains prennent l'expres-*

sion deux nations *dans un sens politique, et les autres dans un sens sociologique.*

Un peu partout, M. Trudeau insiste pour répéter : *Il n'y a pas que deux nations, mais plusieurs nations au Canada, si l'on veut donner au terme* nation *son sens sociologique. Mais si on lui donne son sens politique, il n'y a, au Canada, qu'une seule nation mais elle reconnaît deux langues officielles.* Après l'élection, il expliquera encore aux Américains : *Nous soutenons qu'il n'y a pas deux nations au Canada, car si vous commencez à parler de deux nations, il y a danger que vous vous orientez vers deux nations politiques et deux entités légales distinctes qui seront appelées soit des* Etats, *soit des* pays, *soit des* peuples.

Pendant que le Premier ministre intensifie sa campagne dans toutes les provinces du Canada, les conservateurs cherchent à consolider le plus possible leurs positions au Québec, et pour ce faire, ils s'ingénient à démontrer, sans trop le dire, qu'ils sont favorables à la thèse des deux nations. Le 14 mai, soit quelque quarante jours à peine avant la journée du scrutin, ils ont provoqué un coup de théâtre au Québec : Marcel Faribault, le présumé chef de l'aile québecoise du parti conservateur, annonçait sa candidature dans la circonscription de Gamelin. M. Faribault est un homme d'une très grande probité. L'intelligentsia québecoise est à peu

près unanime pour faire l'éloge de son jugement et de sa valeur. Il est contre le séparatisme et
il l'a déclaré avec force. « La thèse de René
Lévesque, avait-il dit dès le début de la campagne,
c'est de l'enfantillage. Le système fédéraliste est le
meilleur au monde... Les socialistes sont des intellectuels et non des praticiens, avait-il aussi déclaré.
Les universitaires ne sont pas au contact de la
réalité et ils ont la tentation de faire des théories
abstraites qui, dans la pratique, débouchent sur des
désillusions tragiques. »

On croirait entendre Trudeau lui-même. Aucun
doute possible, M. Faribault est un fédéraliste
convaincu mais, comme M. Lamontagne, il est
prêt à se montrer conciliant en ce qui concerne la
thèse des deux nations et du statut particulier,
thèse dans laquelle Trudeau voit un dangereux
précédent, le prélude à la séparation du Québec
du reste du pays, tout comme la thèse selon
laquelle le Québec ne serait « pas une province
comme les autres » a servi de prélude à celle des
deux nations et du statut particulier.

L'annonce de la candidature de M. Faribault
dans Gamelin combla d'aise tous les nationalistes
modérés du Québec. L'éditorialiste du quotidien
Le Devoir avait ardemment désiré cette candidature, estimant que, si jamais l'homme entrait dans
la lutte, le Québec aurait, pour la première fois,

depuis très longtemps, la chance de faire un choix véritable aux élections fédérales. Le journaliste s'abusait un peu. Le choix demeurait tout de même assez limité puisqu'à ce moment-là, on estimait que trois options s'offraient au Québec :

1. l'option de M. René Lévesque dont le mouvement souverainiste (quasi séparatiste) envisage, avec le reste du Canada, des relations du type de celles en honneur au sein du Marché commun européen ;

2. l'option du fédéralisme renouvelé et biculturel de M. Trudeau à l'intérieur duquel les provinces demeurent fortes et égales entre elles ;

3. l'option vaguement définie par M. Daniel Johnson (qu'endossent les libéraux et les conservateurs du Québec) et qui vise à faire reconnaître un statut particulier qui permettrait au Québec d'augmenter ses juridictions en sa qualité de foyer de la nation canadienne-française.

Mais de ces trois options, seules les deux dernières se trouvaient réellement représentées aux élections générales.

L'ambiguïté des adversaires.

Les conservateurs entreprirent de mener une campagne plutôt ambiguë, se prononçant en faveur de l'unité canadienne devant des auditoires anglophones, et en faveur de la thèse des deux nations devant des auditoires francophones. Ce double jeu n'allait pas passer inaperçu. Le candidat libéral de Calgary fit paraître une annonce dans un quotidien de sa circonscription où il accusait les tories d'endosser la thèse des deux nations. L'incident fit bondir le leader conservateur, M. Stanfield, qui se mit dès lors à exiger que le Premier ministre lui-même « répudie ces mensonges ». Bon prince, M. Trudeau « répudia » l'annonce qui avait tant irrité les conservateurs, dans un discours qu'il prononça devant douze mille personnes dans une circonscription de la banlieue de Toronto. Toutefois, l'ambiguïté demeurait. Le Premier ministre ne pouvait évidemment pas ne pas en tirer parti. Dans un discours, justement à Calgary, il fit astucieusement observer que chez les conservateurs et les néo-démocrates, on se montrait très sympathique à la thèse des deux nations et on parlait avec chaleur d'un régime particulier pour le Québec, et ce, depuis le début de la campagne. Bien sûr, de préciser M. Trudeau sur un ton quelque peu sarcastique, le chef du parti conservateur nie défendre une telle politique. Mais, d'enchaîner le chef libéral, si les conservateurs ne croient pas à l'existence de deux nations au Canada, ils ont certainement deux politiques, car M. Faribault — qu'on dit être le leader conservateur au Québec — parle, lui, et abondamment, des deux nations et du régime particulier.

L'ambiguïté n'est pas moins grande chez les néo-démocrates. Pour leur chef, M. T.C. Douglas, le statut particulier équivaut à laisser au Québec les pouvoirs qu'il détient déjà tout en accentuant la centralisation dans les autres provinces. Pour le bras droit de M. Douglas au Québec, M. Robert Cliche, le statut particulier équivaut plutôt à donner au Québec plus de pouvoirs tout en laissant aux autres provinces celui qu'elles possèdent déjà.

P.E. Trudeau ne pouvait rater l'occasion de se moquer de cette nouvelle ambiguïté. A Windsor, il a accusé les néo-démocrates de tenir des propos contradictoires. Voilà sept ans, dit-il, que ce parti défend la politique des deux nations. M. Douglas veut un pouvoir central fort, tandis que M. Cliche veut un Québec fort. Un auditeur dans la foule s'écria : « We don't care about Quebec » (On se f... du Québec). Aussitôt, le Premier ministre enchaîna : *Voici un néo-démocrate qui ne se soucie guère du Québec. Or, savez-vous qu'au Québec, le chef de l'aile néo-démocrate « doesn't give a damn about the rest of Canada » (se f... du reste du Canada)* ? Le Premier ministre eut naturellement pour lui tous les rieurs.

119

On imagine que le logicien Trudeau ne pouvait que se sentir tout à fait à son aise dans cette chasse aux contradictions. En tout cas, on peut dire qu'il a mené la lutte contre le séparatisme avec un aplomb que les séparatistes eux-mêmes ont eu raison de lui envier.

On sait que le nouveau chef cherche à provoquer ses compatriotes québecois dans le but de les inciter à participer entièrement au monde moderne. Il s'irrite de les voir se complaire dans un nationalisme étroit, se pâmant pour des symboles, s'isolant eux-mêmes et se plaisant à conserver *le bout sale* du bâton économique. Il aime à répéter qu'il ne croit pas en un Québec *en chaise berceuse*. Il croit que si les Québecois francophones veulent appartenir au Canada et à l'Amérique du Nord, il leur incombe de lutter et d'améliorer leur sort comme tous les autres Canadiens. Il insiste pour dire que le nationalisme canadien-français et un Québec indépendant équivaudraient à un retour à la pauvreté, à l'obscurantisme et au totalitarisme. Il estime, comme tant d'autres intellectuels québecois, que l'indépendance se ferait sur le dos des salariés, et au profit d'une politique de droite. Les dépenses gouvernementales augmenteraient de dix pour cent, au dire des économistes. Les salaires devenant trop taxés, les meilleurs citoyens quitteraient la province, emportant naturellement avec eux leur compétence. Incidemment, le journaliste québecois Gérard Filion devait faire remarquer, peu après les élections, le bien-fondé de cette observation. Il nota que les migrations des Québecois vers l'Ontario constituent déjà un phénomène inquiétant. La séparation du Québec, selon lui, entraînerait vraisemblablement le départ d'un million de citoyens.

Ces sortes de considérations n'ont certes pas manqué de faire réfléchir les Canadiens en général, et les Québecois en particulier. Ces derniers sont encore loin de faire l'unanimité, tant sur la thèse fédéraliste que sur la thèse séparatiste. Les plus informés d'entre eux savent que les francophones n'en mènent pas large dans le domaine économique. L'économiste André Raynauld leur rappelle de temps à autre qu'ils contrôlent seulement 15 pour cent de la production manufacturière, 2 pour cent de la production minière et 5 pour cent des exportations. C'est une participation on ne peut plus marginale.

Faudrait-il conclure que la séparation du Québec du reste du Canada est impensable ou impossible. Que non pas. Certains estiment que l'épreuve de force pourrait bien se produire en 1974 si Pierre Trudeau jugeait bon d'intervenir dans les élections provinciales du Québec pour faire échec à René Lévesque. Le résultat d'un pareil affrontement se

121

révélerait probablement déterminant. Il déciderait sans doute d'une façon définitive de l'avenir du Canada. En attendant, ni l'agitation, ni un référendum ne sauraient changer quoi que ce soit aux structures en place, et M. Eugene Forsey, un spécialiste en matière constitutionnelle, explique pourquoi :

Certains croient que le Québec pourrait se séparer en vertu d'une loi ou à la suite d'un référendum. Ni l'un ni l'autre n'est possible. L'Assemblée législative de Québec n'a d'existence qu'en vertu de l'Acte de l'Amérique britannique du Nord (A.A.B.N.).

On ne pourrait procéder à un référendum qu'à la suite d'une loi à cet effet. Or, le Québec n'a pas les pouvoirs de voter une pareille loi, puisque, dans les circonstances, le référendum annulerait les pouvoirs du Lieutenant-gouverneur. Québec peut, bien sûr, amender la constitution provinciale à sa guise, sauf en ce qui concerne l'office du Lieutenant-gouverneur (Section 92, § 1). Tout ce que peut légalement faire Québec, c'est de tenir un plébiscite, et un plébiscite n'a pas force de loi.

Il reste une issue. Le gouvernement britannique pourrait amender l'A.A.B.N. de manière à ce que le Canada ait le pouvoir de permettre au Québec de se séparer. Mais depuis le Statut de Westminster (1931), le gouvernement britannique ne

*peut procéder à pareil amendement qu'à la requête
du gouvernement canadien, et la requête du parlement canadien doit être endossée par les dix
provinces.*

*A moins de remplir ces conditions, Québec ne
pourrait se séparer qu'illégalement, à la manière
rhodésienne. Que ferait le reste du Canada en
pareille occurrence ?*

(Cf. *Montreal Star*, 15 mai 1970.)

La question est posée, et l'on peut croire qu'elle
commence à préoccuper les Québecois.

Trudeau brave l'émeute.

La campagne électorale fut ponctuée de plusieurs bons mots et de quelques coups de théâtre,
notamment celui du 14 juin alors que Pierre
Laporte, le leader de l'Assemblée législative du
Québec, se désolidarisa en quelque sorte de son
chef, Jean Lesage, et se déclara en faveur de
P.E. Trudeau, dénonçant la campagne de dénigrement et de calomnie qui continuait à faire rage.

La campagne s'acheva sur un incident drama-
tique. Les Canadiens français célèbrent, chaque
année, la Saint-Jean-Baptiste, le 24 juin. Les organisateurs de la fête dans la métropole ont naturel-

lement invité aux célébrations le Premier ministre
du Canada : un Canadien français, Montréalais par
surcroît. Un défilé de fanfares, de cadets et de
chars allégoriques constitue l'événement saillant
de la journée. Le défilé parcourt d'est en ouest la
section la plus commerciale de la rue Sherbrooke :
l'équivalent montréalais des Champs-Elysées. La
foule se masse autour de la tribune d'honneur et
sur les chaussées des deux côtés de la rue et tout
le long du parcours (une distance de quelque sept
kilomètres). Cette fête populaire attire généralement entre quatre et cinq cent mille personnes,
attendu que les enfants adorent voir passer « la
parade de la Saint-Jean-Baptiste » ce qui oblige
les parents à les amener.

Les dignitaires prennent place à la tribune
d'honneur aménagée sur les gradins de la Biblio-
thèque municipale. Ce 24 juin 1968, veille des
élections générales dans tout le Canada, Pierre
Elliott Trudeau se trouvait, comme bien l'on pense,
le point de mire de la tribune et de toute la fête.
Il était entouré du Premier ministre du Québec,
M. Daniel Johnson, du maire de Montréal, M. Jean
Drapeau, de l'archevêque, Mgr Grégoire, et de
beaucoup d'autres dignitaires. Le *Rassemblement
pour l'indépendance nationale* — mieux connu du
sigle R.I.N. — une association de séparatistes radicaux, avait juré de démontrer à M. Trudeau à

quel point on considérait comme déplacée sa visite à Montréal (après l'affaire du *lousy French*).

Les sympathisants du R.I.N. commencèrent par lancer des bouteilles, tout en proférant des injures. Il s'ensuivit la pire émeute qu'ait connue Montréal depuis celle qui eut lieu lors de la campagne du plébiscite en 1942. Dès le début de la bagarre, tous les dignitaires évacuèrent la tribune d'honneur, sauf Trudeau qui garda son sang-froid et son siège face aux jeunes qui hurlaient « Trudeau au poteau ! » et « Le Québec aux Québecois ! ». Les bouteilles et les projectiles ne l'atteignirent pas. Appuyé contre la rampe de la tribune, il se montra le plus calme du monde face à cette foule nerveuse et imprévisible. Il est possible que, dans les circonstances, son calme ait eu pour effet de rassurer ceux qui se trouvaient près de la tribune et ait empêché la panique. Craintivement, et l'un après l'autre, les dignitaires vinrent reprendre leur siège. L'émeute dura cinq heures. Le défilé ne s'acheva qu'à 23 h 20, et le Premier ministre resta à son poste jusqu'à la fin. Des spectateurs et des policiers ne purent s'empêcher de l'acclamer en disant : « Bravo Trudeau ! »

Dès le lendemain de ces incidents tragiques, MM. Faribault et Ryan blâmèrent le Premier ministre de ne pas avoir décliné l'invitation que lui avaient faite les organisateurs. Ils qualifièrent son attitude d' « erreur sérieuse et regrettable ».

Mais le lendemain était jour de vote et ces reproches devaient bientôt se révéler dérisoires. Un incident syndical fit que le réseau français de *Radio-Canada* ne put télédiffuser le résultat des élections, ce qui irrita considérablement la population. Certains crurent voir dans ce contretemps une machination d'éléments antifédéralistes. Toujours est-il qu'à la surprise de tous, les lieutenants de M. Trudeau remportèrent 56 des 74 sièges du Québec. A Montréal, ils enlevaient tous les sièges sauf un et dans le reste du pays, la vague de fond se révélait tout aussi spectaculaire. Lorsque les résultats furent annoncés, tard dans la soirée (à cause du décalage des fuseaux horaires), les partis se partageaient les sièges comme suit : libéraux 155, conservateurs 72, néo-démocrates (N.D.P.) 22, créditistes 14 et indépendant 1. Les conservateurs sortaient de l'aventure avec 22 sièges en moins. Les leaders québecois des partis conservateurs et néo-démocrates, MM. Faribault et Cliche, étaient tous deux battus dans leur circonscription. Les libéraux allaient pouvoir former un gouvernement majoritaire, ce qui s'était révélé impossible depuis six ans. Jamais, plus que ce jour-là, le *phénomène Trudeau* ne parut évident aux yeux de tous.

7. L'EPREUVE DU POUVOIR

C'est en lion que Pierre Elliott Trudeau accéda au pouvoir. il avait dirigé avec une main de fer et une énergie incroyable toute la campagne électorale. Confirmé dans ses fonctions de Premier ministre du Canada, et par une majorité écrasante, il entreprit de réaliser ses nombreux projets tout en demeurant bien convaincu que la tâche ne serait pas facile. *Je sais,* déclara-t-il en plaisantant à des journalistes, *qu'on va me blâmer si je ne refais pas un Canada tout neuf d'ici six mois ; mais j'ai quatre ans pour le faire.*

Quatre ans... Qu'est-ce que quatre ans pour une tâche de cette envergure ? Refermer les plaies avivées par les nationalismes, réformer la constitution, réviser la politique étrangère, conjurer l'inflation, réduire les disparités régionales, procéder à la réforme fiscale, mettre sur pied un organisme fédéral d'information, réorganiser le service des Postes : est-il possible de réaliser tout cela, et bien d'autres choses encore, en seulement quatre ans ?

Pourtant, ce ne sont là que les tâches concrètes. Il faudra de plus, et surtout, s'attaquer à des tâches beaucoup plus complexes, comme par exemple, réhabiliter le fédéralisme aux yeux des Canadiens, et surtout aux yeux de certains Québecois qui semblent avoir la faculté de se pâmer pour toutes les formes de gouvernement sauf celle-là. L'homme aura-t-il la poigne qu'il faut pour s'acquitter de toutes ces tâches ? On l'ignore pour le moment, mais c'est un fait que la grande majorité des Canadiens a mis en lui toute sa confiance. Plusieurs d'entre eux se souviennent que c'est lui qui avait lancé le cri d'alarme contre les empiètements du fédéral sur les prérogatives des provinces dans les années 40 et 50, et ils espèrent maintenant qu'il saura aussi défendre le fédéralisme à son tour menacé par l'égocentrisme des provinces.

De son côté, le nouveau Premier ministre est conscient de la difficulté qu'il y a de gouverner un pays qui est à la fois un peu anglais, un peu français et un peu américain. Il se préoccupe, lui aussi, de la question qu'avait posée le journaliste André Laurendeau, à savoir : « Comment intégrer le Québec nouveau dans le Canada d'aujourd'hui, sans restreindre l'élan québecois, mais aussi sans risquer l'éclatement du pays ? »

Mais le nouveau Premier ministre se révélera bientôt un esprit éminemment pragmatique. On a pu dire de lui que c'est un homme d'Etat remarquablement peu dogmatique. Il se révèle capable de deux tendances : conservateur en politique intérieure et novateur en politique étrangère.

L'homme fort se révèle.

Dès le début de son administration, P.E. Trudeau indiqua clairement de quel bois il entendait se chauffer. D'abord, il s'appliqua à démontrer qu'il n'était pas l'antiquébecois que certains s'étaient plus à voir en lui. Il invita six francophones à faire partie du cabinet. Jamais le Québec n'avait été aussi généreusement représenté au gouvernement fédéral. On a surnommé « les Sept sages », les sept francophones devenus les personnages les plus influents du Canada contemporain. Leur puissance est telle que certains anglophones commencent à en prendre ombrage. Ils disent qu'Ottawa est maintenant dominé par une « mafia montréalaise » et presque entièrement francophone. *O tempora...* Le nouveau Premier ministre

129

est décidément un novateur, et il n'a pas froid aux yeux !

L'ex-Premier ministre Pearson avait eu du mal à maintenir la discipline à l'intérieur du parti. Le nouveau maître entend décourager toute velléité d'insubordination. Il encourage ses ministres à parler franchement, mais à l'intérieur de leur juridiction respective. Il entend se montrer ferme sur ce point. Les ministres ou députés trop enclins à jouer les vedettes et à se prononcer sur tout et sur rien durent apprendre à modérer leurs transports. De plus, les ministres apprirent très tôt que s'ils voulaient conserver leur ministère, ils feraient mieux de s'en occuper d'une façon active et compétente.

Un des candidats à la direction du parti, M. Paul Hellyer, avait fait sa campagne en affirmant partout qu'une politique du logement devrait être considérée comme une priorité au Canada. Nommé ministre des Transports (ministère responsable de la Société centrale d'hypothèque et de logement), M. Hellyer s'attela résolument à la tâche, mais un groupe d'experts engagés par le gouvernement devait bientôt démontrer que le logement, malgré les cris de détresse que faisaient entendre certains groupes de pression intéressés, n'avait aucunement le caractère prioritaire qu'on cherchait à lui donner. M. Hellyer joua sa tête contre le groupe d'experts en faveur de qui M. Trudeau trancha. M. Hellyer dut démissionner et le Premier ministre accepta sa démission. A compter de ce jour, les ministres comprirent qu'il y avait désormais un patron à la tête du parti et que ce patron s'appelait Pierre Elliot Trudeau.

Une à une, les illusions tombèrent. On avait pris le nouveau chef libéral pour un *Playboy,* et les circonstances avaient voulu que cette image de légèreté et d'insouciance s'accréditât aux yeux de tous. Peu après la victoire du 25 juin, un journaliste avait demandé au Premier ministre :

— Allez-vous renoncer à votre Mercédès ?

— *Vous parlez de l'auto ou de la jeune fille ?* avait demandé M. Trudeau. *Je n'entends renoncer ni à l'une ni à l'autre.*

A un autre journaliste, il avait également dit que le 24 Sussex Drive (résidence du Premier ministre à Ottawa) serait *un endroit idéal pour donner des réceptions.* Or, on devait bientôt constater que le nouvel occupant de la somptueuse demeure ne recevait qu'occasionnellement. On devait s'apercevoir aussi qu'il ne donnait que des déjeuners sans apprêt aux chefs syndicaux, aux hommes d'affaires ou aux étudiants. Devenu la proie d'une meute infatigable de journalistes, le Premier ministre devait finir par se révéler ce qu'il est en réalité : un homme seul, et un homme fort ; un homme dont les rares moments libres sont employés à la réflexion soit sur le porche du 24 Sussex Drive ou au lac Harrington, résidence d'été du Premier ministre.

M. Trudeau avait fait de la *société juste* un des thèmes de sa campagne. Par ce slogan, il résumait les projets qu'il entendait réaliser si son élection avait lieu. Ces projets visaient, et visent encore, à maîtriser les tendances inflationnistes de l'économie, à réviser la constitution de manière à ce que s'établisse le bilinguisme partout au Canada (ou du moins dans l'administration des institutions fédérales), à réduire les inégalités économiques régionales et à améliorer le sort fait aux populations amérindiennes et esquimaudes.

Cette politique intérieure ne contient assurément rien de révolutionnaire. Elle ne fait, en somme, que poursuivre l'œuvre du régime précédent. Ce sera plutôt en politique étrangère que le nouveau Premier ministre s'appliquera d'abord à dissiper les ambiguïtés qui l'avaient tant irrité chez son prédécesseur. Il fit savoir avec fermeté qu'il n'était absolument pas question de laisser les Américains entreposer des ogives nucléaires en territoire canadien. De plus, les troupes canadiennes vont être partiellement rapatriées d'Europe à une date qui reste à fixer. La participation du Canada à l'entreprise conjointe de défense appelée

NORAD demeure inchangée, mais à l'avenir, et en général, le Canada va aider l'étranger de diverses manières, plutôt que de se donner des missions militaires prétentieuses et fort coûteuses.

A partir de ce programme général, le gouvernement Trudeau profitera de sa force pour prendre deux intiatives qui, compte tenu du contexte nord-américain, auront un aspect très courageux et même provocateur. Il s'agit de la nomination d'un ambassadeur au Vatican d'une part, et de la reconnaissance de la Chine populaire d'autre part. La nomination d'un ambassadeur au Vatican équivalait à s'attaquer de front à l'hostilité historique que le vieux fond W.A.S.P. (White Anglo Saxon Protestant) a toujours nourri à l'égard de ce qu'il appelle « le papisme ». Pour ce qui est de la reconnaissance de la Chine, elle s'est faite à l'encontre d'une opinion américaine hostile à cette reconnaissance, bien qu'à la Maison Blanche on ait plutôt vu dans l'initiative canadienne un précédent de nature à préparer les esprits au geste analogue que les Etats-Unis se préparaient à poser trois ans après. La reconnaissance diplomatique de la Chine sera suivie de deux voyages d'amitié en Extrême-Orient. Ces voyages spectaculaires s'inscrivent également dans l'ère novatrice qu'entend inaugurer le nouveau gouvernement. Il ne fait plus de doute que le Canada commence à se tourner sérieusement vers le Pacifique. Certains même se demandent si, dans un avenir plus prochain qu'on ne croit, le Canada n'en viendra pas à parier sur l'Asie, même au détriment de l'Europe. Il faut ajouter, toutefois, qu'en se tournant du côté du Pacifique, M. Trudeau ne fait qu'amplifier un mouvement déjà amorcé à Washington. Il soupèse en Asie — comme d'ailleurs dans le Grand-Nord et l'Arctique — les chances qu'a le Canada d'ouvrir, lui aussi, sa *New Frontier* aux générations montantes. Il en a autant besoin que son grand voisin d'outre 45°.

L'œil sur les Américains.

Mais là où le gouvernement Trudeau se montre le plus agressif, et même téméraire, c'est lorsqu'il s'agit de définir, d'une part, le rôle réduit du Canada à l'intérieur de l'Otan, et d'autre part, les nouvelles lignes de conduite à suivre si l'on entend sauvegarder un tant soit peu l'autonomie économique du pays.

La décision du Premier ministre de réduire la contribution du Canada à l'Otan a provoqué de grands remous dans le cabinet. Les adversaires ont considéré que pareille initiative était de nature à affaiblir les positions de l'Ouest, et ce, juste à la veille des négociations appelées Strategic Arms Limitation Talks (S.A.L.T.). Mais Trudeau fit comprendre, dès le départ, qu'il était bien déterminé à agir. Il fit valoir que, pour réduire le budget de défense, comme le souhaitent tant de contribuables surtaxés, il faut absolument réduire la participation des soldats canadiens aux tâches de surveillance en Europe. Un comité parlementaire entreprit donc d'étudier cette question complexe et, après quelque temps, se prononça en faveur du *statu quo*. Le cabinet fut donc amené à débattre longuement la question, mais sans réussir à en venir à une décision. Le Premier ministre n'hésita pas à définir le consensus du cabinet. Il résolut, conformément à ses convictions, et à la lumière des données fournies par des conseillers de premier ordre, de modifier la politique du Canada à l'égard de l'Otan et de retirer la moitié de ses effectifs militaires d'Europe. Une fois de plus, les Canadiens purent constater que celui qu'ils avaient élu à la tête du pays n'avait rien d'un *playboy* mais se révélait de plus en plus un homme de poigne : un homme fort.

L'homme fort entreprit aussi de travailler à l'indépendance économique du Canada : une cause chère à son collègue M. Walter Gordon — l'auteur de la théorie du *Buy Back Canada* (rachetons

le Canada des Etats-Unis) — chère aussi à certains
éléments du parti néo-démocrate — le groupe
Watkins en particulier. Le nationalisme économique de M. Trudeau et de ses collaborateurs n'a
pas manqué d'irriter certaines sphères du monde
des affaires pour qui il n'existe qu'un dogme : se
garder constamment d'indisposer le colosse américain. Il irrite aussi — mais pour des raisons
complètement différentes — des séparatistes du
Québec. Les tempêtes verbales que soulèvent
financiers canadiens et séparatistes québecois font
paraître le nationalisme économique de M. Trudeau bien plus agressif qu'il ne l'est en réalité.
Contrairement aux Walter Gordon et aux Melville
Watkins qui voudraient que le Canada aille jusqu'à prendre des dispositions pour défaire, par
décret d'Etat, des transactions déjà conclues avec
les Etats-Unis et jugées préjudiciables à l'indépendance du pays, le nationalisme économique de
la nouvelle administration libérale se limite à
réglementer les transactions à venir, et encore,
dans le cas seulement où il y aurait risque que
des richesses énergétiques ou des institutions
financières, notamment les banques, passent aux
mains des étrangers. C'est dans le cadre de
cette nouvelle politique qu'a éclaté le litige de la
souveraineté dans l'Arctique à la suite du voyage
expérimental du pétrolier géant *Manhattan* vers

136

Prudhoe Bay en empruntant le Passage du Nord-Ouest qu'on estime être en eaux canadiennes. C'est également dans le cadre de la nouvelle conception de l'indépendance économique du Canada que furent menés les pourparlers concernant la vente d'énergie aux Etats-Unis, et rédigé le rapport sur les investissements étrangers. De fait, toute la politique étrangère du Canada sous la nouvelle administration a été repensée dans l'esprit du nouveau nationalisme politique et économique. Les émissaires d'Ottawa vont répétant que, dans l'esprit des nouvelles autorités, il ne s'agit aucunement de s'opposer aux investissements américains au Canada, encore moins d'indisposer un puissant voisin avec lequel on entend demeurer dans les meilleurs termes du monde. Mais il s'agit de faire sentir à Washington qu'il existe aussi un Etat souverain à Ottawa, que cet Etat entend ne pas se laisser dicter quoi que ce soit par le Pentagone, ni se laisser dépouiller de ses ressources importantes sans jamais dire un mot. En d'autres termes, M. Trudeau entend faire comprendre aux investisseurs américains qu'ils sont les bienvenus au Canada, mais qu'ils n'ont pas tous les droits.

Il s'agit, en somme, d'un nationalisme inspiré par un sens tout naturel de la dignité. Comparé à celui des Gordon ou des Watkins, un nationalisme pareil a plutôt l'air bénin, même s'il effarouche encore les timorés du monde des affaires. En vérité, il s'agit bien plus de patriotisme que de nationalisme, en la circonstance.

Le fait que le Premier ministre Trudeau ait fait preuve de force et de fermeté sur quelques-uns des points qu'on vient d'examiner brièvement serait de nature à laisser croire qu'il pourrait éventuellement faire fi du processus démocratique. Son administration jusqu'ici atteste toutefois du contraire. Immédiatement après les élections, il fit état de son désir de voir se développer au Canada une démocratie de participation, laquelle doit s'articuler, selon lui, comme suit : 1. au sommet, le ministre qui s'applique à rendre son ministère le plus productif possible et qui s'arrange pour être autre chose qu'un simple dispensateur de faveurs ; 2. le député qui participe aux travaux des nombreuses commissions ou sous-commissions de la Chambre ; 3. enfin, le simple citoyen qui peut participer à l'élaboration de la politique de son pays, non seulement en se rendant aux urnes une fois tous les quatre ou cinq ans, mais surtout en prenant connaissance et en discutant à fond les suggestions contenues dans les Livres blancs qu'entend occasionnellement publier le gouvernement avant de présenter en Chambre d'importantes mesures législatives.

Imbu de ces principes de la démocratie moderne, le gouvernement Trudeau se montre cependant exigeant à l'endroit de ceux qui entendent y participer soit au pouvoir, soit dans l'opposition, soit par le truchement des *mass media.* Le Premier ministre se montre impitoyable envers les membres de la Chambre qui critiquent sans raison ou qui affectent de faire fi des faits. Il est impitoyable aussi pour les journalistes qui se rendent coupables d'imprécisions, qui publient des faussetés ou qui se permettent de donner leur opinion avant d'avoir pris connaissance de tous les aspects d'une question. Les *mass media,* a-t-il dit un jour à un correspondant de l'hebdomadaire *Time,* pour autant qu'elles prétendent refléter l'opinion publique, servent de véhicule à l'erreur. *En ce qui me concerne,* a-t-il ajouté, *je n'ai jamais pu me défendre d'un sentiment de malaise chaque fois que j'ai parcouru un journal.*

Pierre Trudeau est une sorte de fanatique de la précision, de l'exactitude et de la mesure. Il a horreur de l'à-peu-près sous toutes ses formes. La fausse science, la fausse distinction ou la fausse sincérité ont l'heur de l'irriter, et ce, parfois au point de l'amener à commettre des grossièretés. Il s'agit sans doute d'un réflexe compensateur. C'est probablement sa manière à lui de démasquer l'adversaire. D'un geste fort discutable, il envoya paître

139

un jour un membre de la Chambre qui cherchait visiblement à l'ennuyer. Le geste voulait dire « va te faire f... » et il n'a pas manqué de provoquer l'indignation de l'opposition et de la presse. Un autre jour, il a proposé un mets très *canayen* aux « gars de Lapalme », un groupe de grévistes irréductibles. Ces sortes de colères attestent d'un esprit qui a toujours eu horreur des menteurs, des opportunistes et des intrigants. Très exigeant pour lui-même, M. Trudeau l'est aussi pour les autres. C'est un sportif doublé d'un ascète. Tout excès l'horripile. En tout, il recherche la mesure et le bon sens. Il se défie des recettes.

Tout bien considéré, Pierre Elliott Trudeau n'a absolument rien du Don Juan de sa légende. Il n'est ni superficiel, ni volage, ni fantaisiste. Il a horreur de ceux qui se prennent au sérieux, et encore plus de ceux qui ne prennent rien au sérieux. Au fond, c'est un aristocrate dans le meilleur sens du terme. Il ne se livre pas facilement, mais il a vécu pleinement et il a nourri, dans une intimité qu'il a toujours su protéger, les facultés de logicien et d'analyste qui font sa force aux heures de grande tension.

Pierre Elliott Trudeau a accédé à ses hautes fonctions non par l'intrigue, l'influence ou le droit d'aînesse. Des forces négatives semblent s'être conjuguées pour empêcher son ascension. On dirait que c'est le destin même qui l'a propulsé vers le haut. Il s'est donné quatre ans pour refaire « un Canada tout neuf ». Il doit commencer à trouver que le temps passe vite. Certes, il a déjà réussi à surmonter plusieurs défis. Mais il lui en reste un : le plus redoutable, et c'est celui de calmer, une fois pour toutes, le vent de folie que des extrémistes ont déchaîné sur le Québec depuis près de dix ans.

8. LA CRISE D'OCTOBRE

Le défi le plus sérieux qu'ait eu à affronter jusqu'ici le gouvernement Trudeau s'est incarné dans le mouvement dit du *Front de libération du Québec,* et il s'est posé de la façon la plus aiguë à l'automne de 1970.

Ce qu'est le F. L. Q.

Mieux connu par son sigle F.L.Q., le *Front de libération du Québec* est un mouvement terroriste qui naît, meurt et renaît plus ou moins au Québec depuis 1963. Il est difficile de le définir. On dirait une association floue qui sert de tremplin tantôt à des ultra-nationalistes ou ultra-socialistes, tantôt à de purs fascistes, ou encore à des grévistes de profession, voire à de simples anarchistes ou mauvais plaisants.

Le F.L.Q. parut être, au début, l'instrument d'aventuriers de profession comme le Belge

143

Georges Schoeters ou l'ancien légionnaire François Schirm. Plus tard, il semble être passé aux mains d'intellectuels activistes comme Pierre Vallières et Charles Gagnon. Après l'arrestation de ces derniers, on a pu croire un moment que Pierre-Paul Geoffroy, un dynamiteur prolifique, en était le dernier survivant. Mais, après lui, devait surgir Paul Rose, un anarchiste fulminant. A tous les stades de cette étrange mutation, le F.L.Q. a recruté ses sympathisants plus ou moins déclarés parmi des intellectuels et des étudiants activistes, ainsi que parmi des travailleurs politisés.

Les têtes brûlées ont commencé par faire sauter des bombes, ensuite, elles ont effectué des hold-ups, allumé des incendies, cependant que les sympathisants applaudissaient *in petto,* et parfois même ouvertement, et se lançaient dans de savantes explications pour démontrer à quel point on avait raison de faire sauter *un système pourri et irrécupérable.* Il y eut des morts et des blessés.

Le F.L.Q. fait donc parler de lui au Québec depuis 1963. Depuis cette date, il n'a presque pas cessé de signaler sa présence. Ses premières manifestations furent spectaculaires. Une bombe tua M. Wilfrid O'Neil, un gardien de nuit. Peu après, quantité de bombes sautaient dans des boîtes postales à Westmount, une municipalité en majorité anglophone enclavée dans Montréal. Le sergent Walter Leja fut grièvement blessé en tentant de désamorcer un engin qui n'avait pas sauté.

En 1964 et 1965, le F.L.Q. entreprit de récolter des fonds et des armes pour « la révolution ». Il multiplia les hold-ups dans les banques, ainsi que les vols d'armes et de dynamite. En 1966, les bombes firent deux victimes : Thérèse Morin, une employée des usines *La Grenade* (alors en grève), et Jean Corbo, un terroriste déchiqueté par l'explosion prématurée de l'engin qu'il s'en allait déposer quelque part. En 1967, année de l'Exposition universelle tenue à Montréal, le F.L.Q. se montra gentil : il fit trêve. Mais il reprit ses activités dès 1968, à la faveur, semble-t-il, de la longue grève de la *Régie des alcools du Québec.*

En somme, les élections générales qui portèrent le gouvernement Trudeau au pouvoir eurent lieu vers la fin du répit que semble s'être imposé le F.L.Q. pour ne pas gâcher les célébrations du centenaire. C'est sans doute ce répit, et peut-être aussi l'habitude des bombes, qui incitèrent les Canadiens à voir dans la nouvelle administration — composée comme on sait d'éminents Québecois — un rempart à toute épreuve : l'antidote au terrorisme et la garantie d'un prompt retour à l'ordre et à la quiétude d'antan. Mais ce n'était là qu'une douce illusion. Après l'agitation déclenchée par la visite du général de Gaulle, le Canada connut certes une courte période d'euphorie, obscurcie d'ailleurs par les événements tragiques qui se sont multipliés dans le monde en 1968 : assassinats de Martin Luther King et de Robert Kennedy aux Etats-Unis, les événements de mai en France, la répression soviétique à Prague, la tragédie biafraise, sans oublier l'interminable guerre du Vietnam. Mais en 1969, le F.L.Q. se manifesta de nouveau comme jamais. Il semblait prendre plaisir à déposer partout des bombes. La police en a compté plus de cent. Plusieurs ont explosé et fait des dégâts — notamment à Westmount. L'une d'elles eut du retentissement : elle détruisit une partie de la maison du maire de Montréal. Une nouvelle vague de terrorisme balayait donc de nouveau la métropole du Canada. Elle s'intensifia jusqu'au 7 octobre, jour où la police de Montréal, désireuse d'améliorer ses conditions de travail, fit grève durant 18 heures. Cette triste journée s'acheva dans une émeute au cours de laquelle un policier provincial fut tué et une bonne partie de la rue Sainte-Catherine — principale artère commerciale — fut saccagée par des vandales. Complètement débordé par les événements, le gouvernement du Québec dut faire appel à l'armée canadienne.

La terrible vague terroriste de 1969 était à peine apaisée qu'une plus terrible encore prit naissance au printemps de 1970, pour s'achever par les événements tragiques qui forment désormais ce qu'on a appelé *la crise d'octobre* et qui ont engendré *les dix jours qui secouèrent le Canada* comme jamais il n'avait été secoué auparavant.

Péripéties de la crise.

Il va sans dire que tous ces débordements de révolte et de violence ont pris par surprise une société peu habituée à ce genre de désordres et qui avait fini par croire que le respect dû aux lois et à l'ordre était un sentiment devenu naturel et comme allant de soi pour tout le monde. Aussi, les autorités resteront-elles interdites face à l'anarchie systématique des éléments extrémistes, et ce, même si le Premier ministre Trudeau avait senti venir le danger.

En effet, commentant les assassinats d'hommes publics commis aux Etats-Unis, P.E. Trudeau avait fait quelques réflexions prophétiques dès novembre 1968.

Je m'inquiète moins, avait-il dit, *de ce qui se passe au-delà du mur de Berlin que de ce qui pourrait arriver à Chicago ou à New York ou dans une de nos grandes villes canadiennes (...) En vérité,*

*la civilisation et la culture en Amérique du Nord
sont plus menacées par les désordres internes que
par les pressions de l'extérieur. Les désordres
actuels dans les grandes villes des Etats-Unis pourraient très sérieusement conduire à de grandes
révoltes qui pourraient mettre en danger l'ordre
et la stabilité sociale (...). Nous ne sommes pas tant
menacés par les missiles atomiques que par le fait
que de vastes secteurs de la population n'arrivent
plus à s'épanouir dans notre société.*

Parlant un peu plus tard au Nouveau-Bruns-
wick, le Premier ministre avait prédit que la présente décennie apporterait plus de changements
que toute autre période semblable dans l'histoire.
Après la crise d'octobre, il ira jusqu'à exprimer
l'avis que la guérilla urbaine constituera le défi
des années 70, comme la dépression économique
constitua le défi des années 30, la Seconde Guerre
mondiale celui des années 40, la guerre froide celui
des années 50, le Vietnam et la contestation étudiante celui des années 60.

L'année 1970 confirma cruellement les prophé-
ties du Premier ministre. Le F.L.Q. se révéla d'une
agressivité inouïe. Les bombes se mirent à sauter
à un rythme effarant, en guise de prélude sans
doute aux événements terribles qui se préparaient.
La police était sur les dents. Dès le 26 février, elle

148

découvrit, dans les poches d'un certain Jacques Lanctôt, un communiqué annonçant l'enlèvement de M. Moshe Golan, représentant commercial d'Israël à Montréal. D'après ce communiqué, l'enlèvement devait avoir lieu incessamment. Apparemment, l'arrestation de Lanctôt fit échouer l'entreprise, mais dans les milieux autorisés, on se souvint tout à coup des propos qu'avait tenus le président du Comité exécutif de Montréal, Lucien Saulnier, le 27 novembre 1969, devant un comité parlementaire. Dès cette époque, M. Saulnier avait laissé entendre que des organisations terroristes s'apprêtaient à lancer à Montréal la guérilla urbaine, avec tout ce qu'elle comporte de destruction, d'enlèvements et d'assassinats sélectifs. On qualifia ces propos d' « alarmistes ».

Le 21 juin, nouvel indice. La police fait une razzia dans un chalet à Prévost, un endroit de villégiature situé à une quarantaine de kilomètres de Montréal. Parmi les effets et paperasses saisis, on découvre encore un communiqué qui révèle qu'on s'apprêtait à enlever M. Harrison Burgess, consul général des Etats-Unis à Montréal. Apparemment, l'enlèvement devait se produire autour du 4 juillet, fête nationale des Américains. On projetait aussi d'exiger des autorités à peu près la même rançon qu'on exigera à la suite du premier enlèvement réussi, celui de M. Cross.

Les menaces se précisaient donc de plus en plus. Aussi, seuls ceux qui ignoraient tout des preuves accumulées par la police purent-ils vraiment s'étonner de l'enlèvement de l'attaché commercial britannique à Montréal, M. James Richard Cross, le 5 octobre au matin. Ce matin-là, la métropole du Canada sombrait dans un traumatisme qu'avaient subi, avant elle et trois fois chacun, des pays comme le Brésil, le Guatemala et l'Uruguay, et deux fois l'Argentine. Au Canada, comme dans ces pays-là, la guérilla urbaine se développait dans le sens de son inexorable logique, tentant d'exercer, contre les autorités en place, ce que P.E. Trudeau appellera un *pouvoir parallèle*. On apprit bientôt que M. Cross avait été enlevé par la *Cellule Libération* du F.L.Q. et que les ravisseurs exigeaient la remise en liberté de quelque vingt « prisonniers politiques », tous membres du F.L.Q. — et tous emprisonnés par suite de délits de droit commun — en échange de la libération de M. Cross. On accordait aux autorités un délai de quarante-huit heures pour s'exécuter.

En termes plus précis, les ravisseurs exigeaient : 1. la publication dans les journaux et sur les ondes de ce qu'ils appelaient leur manifeste ; 2. libération de quelque vingt-trois « prisonniers politiques » et leur transfert vers Alger ou Cuba ; 3. réengagement à leurs conditions des « gars de

Lapalme », les grévistes irréductibles que M. Trudeau devait enguirlander plus tard ; 4. cinq cent mille dollars en lingots d'or ; 5. dénonciation du délateur de la dernière cellule F.L.Q. (razzia de Prévost).

Il va sans dire que, dès le lendemain, le ministre canadien des Affaires extérieures, M. Mitchell Sharp — responsable de la protection à accorder aux diplomates étrangers en séjour au Canada — opposa un non catégorique à ces exigences. Il va sans dire aussi que le gouvernement prit aussitôt des mesures pour faire protéger les quelque mille membres que comporte le corps diplomatique au Canada. Les gouvernements d'Ottawa et de Québec résolurent d'entretenir entre eux un contact constant.

Après l'expiration du délai de quarante-huit heures, le Premier ministre réitéra, à la suite d'une séance passionnée de la Chambre, tenue la nuit précédente, le refus des autorités fédérales d'accéder aux demandes du F.L.Q. Toutefois, dans la soirée, M. Sharp fit savoir que le gouvernement demeurait tout de même disposé à négocier un arrangement pour la remise en liberté de M. Cross. Le F.L.Q. accorda un nouveau délai de douze heures, et le gouvernement — dans le but exprès de sauver la vie du diplomate — autorisa, à 20 heures ce soir-là, la lecture du « manifeste » du F.L.Q. sur les ondes du réseau français de Radio-Canada.

Le lendemain, vendredi, M. Trudeau contremanda le voyage qu'il devait faire à New York en vue d'assister aux cérémonies du 25e anniversaire de la fondation de l'Organisation des Nations Unies.

La lecture du « manifeste » sur les ondes flatta, semble-t-il, la vanité des membres du F.L.Q. et de leurs sympathisants, de sorte qu'un nouveau délai de vingt-quatre heures fut décrété par les ravisseurs. La population tentait de se persuader autant que possible que le F.L.Q. n'était pas aussi sauvage et intransigeant qu'on avait cru. En tout cas, il semblait disposé à concéder tous les détails qu'on voudrait tant que se maintiendrait l'excellente publicité que lui rapportaient les circonstances.

L'enlèvement de Pierre Laporte.

Le ministre québecois de la Justice, Me Jérôme Choquette, offrit un sauf-conduit aux ravisseurs s'ils acceptaient de libérer M. Cross. Cette offre était à peine formulée qu'on apprit que Pierre Laporte, ministre québecois du Travail et de l'Immigration, venait d'être enlevé devant sa demeure de Saint-Lambert, une ville de la rive sud, en face de

152

Montréal. L'euphorie qu'avait fait naître la *Cellule Libération* en se montrant disposée à négocier à tout prix, fut aussitôt dissipée par l'incroyable témérité de la *Cellule de financement Chénier* qui avait enlevé en plein jour, et au vu et su des siens, celui qu'elle devait surnommer, dans son communiqué (rendu public peu après), le « ministre du Chômage et de l'Assimilation québecoise ». La cellule fixait aux autorités un délai de vingt-deux heures pour satisfaire à toutes les conditions fixées par les ravisseurs de M. Cross, sinon, M. Laporte serait exécuté à l'expiration du délai.

L'épreuve de force débutait pour de bon. Dès lors, les événements ont paru s'articuler en un effroyable crescendo. Voici un calendrier sommaire des faits saillants :

Aux premières heures, une terrible angoisse s'empare de la population canadienne en général, et de la population québecoise en particulier. A Montréal, 3 525 policiers sont sur un pied d'alerte. Le Premier ministre du Québec, M. Robert Bourassa, rentre d'un voyage d'affaires à New York. Le maire de Montréal suspend ses activités électorales (des élections municipales sont prévues pour le 25 octobre). Les horaires de la télévision et de la radio se trouvent complètement bouleversés. Chacun est rivé à son poste de radio ou à son petit écran, appréhendant le pire. Des farceurs se plaisent à lancer de fausses alertes à la bombe. La police arrête Me Robert Lemieux, porte-parole officieux du F.L.Q. qui multiplie, depuis le début de la crise, les conférences de presse et les déclarations à l'emporte-pièce.

Sitôt rentré de New York, M. Bourassa convoque une assemblée d'urgence du Conseil des ministres à l'hôtel Reine-Elizabeth à Montréal. Du fond de son réduit, M. Laporte fait parvenir une lettre pathétique à M. Bourassa. Il le supplie de se rendre aux conditions du F.L.Q. Toutefois, il s'en remet au bon jugement de ses collègues du cabinet dans les circonstances.

C'est dans ce climat de tension extrême que le *Front d'action politique* (F.R.A.P.), une association parasyndicale qui faisait campagne contre la réélection de M. Drapeau et de ses partisans à la direction du conseil municipal de Montréal, juge opportun de se prononcer contre les méthodes du F.L.Q., mais en faveur de ses objectifs. Plusieurs syndicats, groupements nationalistes ou estudiantins se prononceront dans le même sens dans les jours qui suivent.

D'heure en heure, la tension devient intolérable. Des soldats de l'armée canadienne commencent à monter la garde aux abords des édifices publics à Ottawa, la capitale, ce qui soulève l'indignation d'une partie de la presse anglophone, laquelle refuse de croire que le danger soit à ce point grave qu'il nécessite un déploiement de forces dans la capitale même. Le Premier ministre Trudeau s'est moqué des « bleeding hearts » de la presse qui lui ont reproché quelque peu insolemment son attitude.

Entre-temps, le F.L.Q. continue de faire des siennes. Il menace d'enlever un des médecins spécialistes en grève dans le but d'amener leur association professionnelle à se conformer aux exigences de la nouvelle loi d'assurance-maladie, cependant qu'on signale l'arrestation de plus en plus de suspects un peu partout au Québec. Les *mass media* exploitent on ne peut plus la situation et les événements. La police s'en plaint, et les journalistes se plaignent de leur côté de la police. Une fausse alerte à la bombe oblige quelque mille fonctionnaires à évacuer des édifices gouvernementaux à Québec. Le Premier ministre de l'Ontario, M. John Robarts, considère que les terroristes du Québec désirent la « guerre générale » et que le moment est probablement venu de « se lever pour combattre ».

A Montréal, un groupe de chefs ouvriers de la Confédération des syndicats nationaux (C.S.N.), de la Fédération des travailleurs du Québec (F.T.Q.), de la Corporation des enseignants du Québec (C.E.Q.), ainsi que le chef du Parti québecois, M. René Lévesque, et le directeur du quotidien

Le Devoir, M. Claude Ryan, se mettent à faire pression sur le Premier ministre Bourassa pour qu'il cède aux exigences du F.L.Q. et que soient libérés au plus tôt MM. Cross et Laporte.

La fièvre continue de monter. Selon un rapport de la Gendarmerie royale commenté par le quotidien anglophone *The Gazette* de Montréal, le 15 octobre, le F.L.Q. comprendrait 22 cellules, 130 membres et quelque 2 000 sympathisants. Ces chiffres ont de quoi impressionner une population déjà fort accablée par ce qui arrive. Le bruit court que l'armée va bientôt arriver à Montréal. Le président de la Société Radio-Canada demande aux responsables de modérer un peu le ton et le nombre de leurs commentaires. Le Premier ministre Trudeau contremande un voyage qu'il devait faire en Union soviétique en considération de la gravité des événements.

Tous ces incidents prennent véritablement une allure haletante. Des étudiants et des syndicalistes commencent à s'agiter. Ils tiennent une assemblée bruyante au Centre Paul-Sauvé à Montréal. Au nombre des orateurs : Michel Chartrand, l'enfant terrible du syndicalisme québecois, Robert Lemieux, porte-parole officieux des ravisseurs (et remis en liberté apparemment pour lui permettre de poursuivre sa médiation), Pierre Vallières et Charles Gagnon, les maîtres à penser du F.L.Q. Le bruit court que des activistes dans les Cégeps (lycées) et les universités du Québec, de Montréal et d'Ottawa entendent faire descendre dans la rue les étudiants avec les syndicalistes. Une manifestation du type *Opération McGill* (d'effarante mémoire), ou encore du type de celle déclenchée durant la grève des policiers (de mémoire plus effarante encore) menace dès lors d'avoir lieu incessamment.

Entre-temps, il semble que le jeu des délais se trouve brouillé. La gravité de ce qui menace de se produire a quelque peu rejeté dans l'ombre le F.L.Q. et ses délais. Mais les autorités restent à l'affût. Le Premier ministre Bourassa apporte un nouvel élément : il propose que la Croix-Rouge intervienne comme intermédiaire dans les négociations en vue d'en venir à un accord honorable en ce qui concerne la remise en liberté de MM. Cross et Laporte. De plus, il réitère l'offre d'un sauf-conduit à Cuba pour les ravisseurs (ce qui indique que le concours de la Croix-Rouge et de La Havane est déjà assuré).

Le gouvernement du Québec est en proie à des pressions et des harcèlements indicibles. Des gens présumés de bonne foi s'entêtent à faire un absolu de la libération des otages et refusent de considérer les risques qu'il y aurait pour le gouvernement de céder au chantage des ravisseurs. Accepter de libérer des prisonniers pour épargner la vie de deux personnes, ne serait-ce pas prouver aux ravisseurs que le kidnapping est le moyen infaillible d'obtenir tout ce qu'on veut, jusques et y compris l'abdication du pouvoir ? Après un enlèvement « réussi » et qui aura fait libérer plusieurs détenus et rapporté beaucoup d'argent, ne s'en produira-t-il pas d'autres, comme au Brésil, par exemple ? A quel moment faudra-t-il s'arrêter et dire non ?

Ottawa est prié d'intervenir.

Les forces de l'ordre se trouvent, elles aussi, débordées par les événements. Le 15 octobre, le directeur du Service de la police de Montréal adresse une lettre aux autorités municipales pour expliquer qu'en vertu de « la complexité des preuves à recueillir », la police se considère incapable de faire face à la situation et fait, par conséquent, appel à « l'assistance des gouvernements supérieurs ».

Comme l'administration municipale relève du gouvernement provincial, le maire Drapeau dut lancer un S.O.S. au Premier ministre Bourassa. Celui-ci, pas plus que le maire de Montréal, ne pouvait agir efficacement dans les circonstances. Il décida donc de faire appel au gouvernement fédéral. Dans une lettre adressée au Premier ministre Trudeau, le 16 octobre, il sollicite l'appui des troupes en vue de libérer la police de certaines tâches de surveillance, et laisse entendre qu'il pourrait éventuellement réclamer des pouvoirs d'urgence en vue de surmonter les entraves qu'imposent les procédures ordinaires à la chasse au F.L.Q. et à ses activités séditieuses.

La requête du Premier ministre Bourassa a posé un sérieux problème au gouvernement fédéral puisque, selon la constitution, Ottawa n'a pas le choix d'accepter ou de refuser une requête de cette nature quand elle est jugée fondée. Il n'a qu'à s'exécuter. Or, comment accorder des pouvoirs d'urgence alors que la législation n'en a jamais prévu que pour le temps de guerre ? Le Canada n'ayant jamais cru qu'un jour des désordres de cette nature pourraient éclater chez lui, n'a évidemment jamais cru nécessaire de prévoir une législation pour y faire face. Le Premier ministre Trudeau fit donc valoir aux yeux de M. Bourassa que les seuls pouvoirs d'urgence disponibles seraient ceux prévus dans la loi des Mesures de guerre (War Measures Act), loi qui ne peut évidemment être invoquée qu'en dernier ressort. Dès lors, se sont posées, pour le gouvernement Trudeau, des questions embarrassantes : la requête du Québec est-elle vraiment justifiée ? La situation créée au

Québec par les enlèvements du F.L.Q. est-elle de nature à favoriser une insurrection, ou du moins, des troubles assez graves pour justifier l'application (faute de mieux) de la loi des Mesures de guerre ?

Les autorités se devaient de bien peser le pour et le contre. A la lumière de ce qu'en dit le ministre d'Etat, M. Gérard Pelletier, dans un livre récent justement intitulé *La Crise d'octobre,* il appert qu'on n'a rien négligé de ce côté-là. L'affaire a fait passer des nuits blanches aux dirigeants.

On a d'abord établi que les événements qui venaient de se produire au Québec ne pouvaient aucunement être considérés comme des actes isolés. Ils s'inscrivent, au contraire, dans une suite d'initiatives logiques : un contexte « révolutionnaire » planifié et conforme aux écrits clandestins désormais connus de la police et même du grand public. Aux actes de vandalisme ont succédé les attentats à la bombe, des vagues de hold-ups, des manifestations sans nombre, certaines de caractère très violent, et maintenant, les enlèvements, en attendant sans doute les assassinats sélectifs et le terrorisme généralisé.

Depuis quelques années, à l'action du F.L.Q., a correspondu celle des divers mouvements extrémistes qui sont venus se greffer plus ou moins directement sur lui : la Ligue pour l'intégration scolaire (L.I.S.) qui souleva les francophones contre des Montréalais d'origine italienne dans Saint-Léonard, une municipalité cosmopolite de l'agglomération métropolitaine ; le Comité Vallières-Gagnon qui entretint le feu sacré révolutionnaire chez les intellectuels et les artistes ; le Mouvement de libération du taxi à qui l'on doit surtout deux attentats mémorables contre les autobus de la compagnie Murray-Hill (à qui l'on reproche le monopole du transport des voyageurs qui arrivent à l'aéroport international de Dorval) ; le Mouvement de défense des prisonniers politiques du Québec qui, sitôt annoncé l'enlèvement de M. Cross, lança une souscription de cinquante mille dollars pour venir en aide aux détenus soi-disant politiques ; le Front de libération populaire ; le Mouvement syndical politique, sans oublier tous les éléments troubles dans les syndicats, les Cégeps, certaines facultés universitaires, et de vastes secteurs des *mass media* qui ont réussi à faire agir les gens dans le sens des « objectifs » poursuivis par le F.L.Q. — soit : la destruction du système capitaliste en général, et la destruction du système politique canadien en particulier. D'ailleurs, au cours d'une émission le 10 octobre, M⁰ Robert Lemieux, personnalité très proche, comme on sait, du mouvement felquiste, a déclaré à un reporter de la télévision que l'*Opération Libération* n'était que

161

l'aboutissement logique de la lutte entreprise par le F.L.Q. depuis 1964.

Aucun doute possible, aux yeux des autorités fédérales, comme aux yeux de nombre d'observateurs dignes de foi au Québec, le F.L.Q. représente désormais un danger sérieux et qui a réussi à marquer sa permanence depuis huit ans.

Reste à savoir s'il vaut mieux sauver à tout prix la vie de MM. Cross et Laporte, ou se montrer inflexible pour qu'on sache que des institutions démocratiques ne sauraient céder à un vil chantage. « Aucune société, avait dit le ministre québecois de la Justice, le 10 octobre, ne peut accepter que les décisions de ses institutions gouvernementales et judiciaires soient remises en question ou écartées par le moyen du chantage exercé par un groupe, car cela signifie la fin de tout ordre social. »

Le Premier ministre Trudeau se rangea à cet avis. L'application des Mesures de guerre fut décrétée à quatre heures du matin le 16 octobre et le Premier ministre expliqua longuement et clairement son attitude dans une allocution télévisée le soir même. Ce n'est certes pas de gaieté de cœur, expliqua-t-il, que le gouvernement a décidé d'appliquer une loi aussi démesurée pour faciliter la tâche des policiers du Québec. Mais il n'y en a pas d'autres actuellement. Si l'on y recourt, ajoute le

Premier ministre, c'est faute de mieux, et si le cabinet a décidé d'agir, c'est que nombre de faits et de présomptions rendent plausible l'éventualité d'une insurrection. Les autorités doivent tenir compte des activités des différents mouvements de contestation au Québec, ainsi que, comme le dit le ministre d'Etat, « des indices de concertation et de rassemblement des forces favorables à la cause du F.L.Q. et présumément sympathiques à ses moyens d'action ».

Compte tenu de l'état d'esprit dans lequel se trouvaient nombre de citoyens survoltés en ces jours de terreur, un journaliste anglophone a établi comme suit le scénario de ce qui se serait passé sans l'application des mesures de guerre et sans l'intervention de l'armée : les étudiants seraient descendus dans la rue à Montréal, et il y aurait eu des accrochages avec une police inquiète et nerveuse. Dans ces circonstances, et dans la nuit, il aurait pu y avoir des coups de feu, puis des martyrs s'empilant dans le ruisseau.

Commentant, peu après, l'attitude qu'il avait été amené à prendre, le Premier ministre Trudeau a dit : *Je n'ai pas eu à peser bien longtemps les tourments qui déchirent Créon et Antigone dans la tragédie de Sophocle, à savoir s'il fallait sauver d'abord la vie d'un individu ou l'Etat. La démocratie doit se défendre.*

163

Le lendemain du jour où fut prise cette grave décision, les centrales syndicales C.S.N., F.T.Q. et C.E.Q. s'empressèrent de dénoncer la démarche du Premier ministre Bourassa auprès du gouvernement fédéral. Un *Front commun étudiant* dénonça pour sa part la suppression, par les mesures de guerre, des « assises mêmes de la démocratie ». Un chef syndical attribua au chef du gouvernement fédéral la responsabilité entière de tout ce qui se produisait au Québec, cependant que les évêques choisissaient ces jours particulièrement tendus pour rappeler que ce sont les injustices qui sont causes de la violence. Décidément, les autorités politiques semblaient, en ces heures de tribulations, ne jouir d'aucun appui et d'aucune sympathie dans le public. Mais ce n'était qu'une illusion. Comme il arrive toujours, le grand public se tait dans le danger, cependant que les irresponsables parlent plus souvent qu'à leur tour.

Mort de Pierre Laporte et du F. L. Q.

Dans la soirée de ce samedi 17 octobre, on apprit brutalement que le ministre Pierre Laporte avait été assassiné et que son corps se trouvait dans le coffre d'une voiture stationnée près de l'aérodrome de Saint-Hubert, soit à seulement quelques

kilomètres de Montréal. Un communiqué du
F.L.Q. devait annoncer, peu après : « Vu l'arro-
gance du gouvernement fédéral et de son valet
Bourassa, le F.L.Q. a décidé d'agir. Pierre Laporte,
ministre du Chômage et de l'Assimilation, a été
exécuté à 6 h 18 ce soir. »

Ce crime sans nom poussa l'angoisse à son
paroxysme et plongea le pays dans une profonde
tristesse et un indicible dégoût. Jusqu'à la dernière
minute, on avait espéré que le F.L.Q. ne s'aban-
donnerait pas à une pareille extrémité. Dans le
passé, ses victimes avaient dû leur sort à la fatalité.
Maintenant, il s'agissait bel et bien d'un meurtre
commis de sang-froid. Ce fut un moment pénible
à passer mais, par ce crime, le F.L.Q. venait de
sceller son sort : il avait tué un homme bien avant
que d'avoir épuisé les possibilités de la négocia-
tion. En assassinant M. Laporte, la *Cellule de
financement Chénier* a, non seulement détruit son
propre pouvoir de marchandage, mais elle a également détruit celui de la *Cellule Libération*. En
stricte grammaire terroriste, les assassins de M. Laporte ont commis le pire barbarisme. Ils ont
démontré qu'ils avaient plus envie de tuer leur
victime que de libérer leurs camarades. Ils ont, de
plus, démontré qu'ils n'étaient que de vulgaires
assassins, des gamins incapables de maîtriser leurs
nerfs et qui détruisent un pouvoir acquis à grands

frais sans en retirer le moindre profit. Les ravisseurs de M. Cross se sont montrés beaucoup plus souples. Ils ont tout de même réussi à faire lire le « manifeste » du F.L.Q. sur les ondes de la télévision nationale. N'eût été la conduite inqualifiable de leurs comparses de la cellule Chénier, ils auraient probablement réussi à encaisser d'autres bénéfices publicitaires.

Le lendemain de la mort de M. Laporte, la C.S.N., la F.T.Q., la C.E.Q. et le directeur du *Devoir* firent pression, une fois de plus, en faveur de la libération des prisonniers afin d'épargner la vie de M. Cross. Leur démarche parut plutôt dérisoire. Pourquoi ces citoyens, si respectables soient-ils, auraient-ils plus de lumières sur cet épineux problème que les autorités démocratiquement élues pour décider et diriger ?

Le lundi, 19 octobre, le gouvernement fédéral sanctionna l'application de la loi des mesures de guerre par un vote de 190 contre 16, les opposants se recrutant tous dans les rangs des néo-démocrates.

Le pire était passé. La *crise d'octobre* ira désormais se résorbant au fur et à mesure que les activistes tomberont dans les filets de la police. La *Cellule Libération* finira par accepter l'offre de sauf-conduit faite par le gouvernement de Québec et M. Cross recouvrera sa liberté le 3 décembre. Le

28 décembre, les ravisseurs de M. Laporte seront enfin arrêtés.

Les sympathisants plus ou moins conscients du F.L.Q. avaient, durant ce temps, donné l'impression qu'une grande partie de la population réprouvait l'attitude prise par les dirigeants. Un sondage effectué le 28 novembre indiqua que 72,8 pour cent de la population du Québec était en faveur des mesures de guerre et 53,8 pour cent se disait d'accord avec l'attitude prise par le Premier ministre Bourassa.

Pour ce qui est du Premier ministre Trudeau, sa popularité s'accrut d'une façon marquée du fait de l'attitude ferme qu'il sut prendre durant la crise. Avant l'application de la loi des mesures de guerre, l'indice de sa popularité était de 42 pour cent (chiffre d'octobre) ; il grimpa à 59 pour cent après l'application des mesures de guerre.

Cette approbation inconditionnelle des masses ne saurait toutefois amener les observateurs à considérer comme nulle la réprobation d'une fraction fort importante de l'opinion canadienne. L'opposition néo-démocrate, entre autres, a constamment soutenu que le gouvernement d'Ottawa avait, dans le Code pénal, tout ce qu'il fallait pour conjurer efficacement la menace du F.L.Q. Par ailleurs, une quantité non négligeable d'intellectuels anglophones et francophones ont estimé que les mesures de guerre, et la loi d'urgence qui les remplaça (peu après l'application des mesures de guerre et jusqu'au 30 avril 1971) constituèrent une entrave impardonnable aux droits de l'homme. Qu'on songe que 453 personnes furent arrêtées sans mandat et que seulement 53 d'entre elles furent incriminées. On accuse le gouvernement Trudeau de s'être montré trop impulsif dans ces circonstances. On fait état du fait qu'aux Etats-Unis, l'agitation extrémiste — qui a pourtant fait jusqu'ici plusieurs victimes — n'a jamais, comme au Canada, amené les autorités à suspendre l'exercice des libertés civiles.

Théoriquement, les intellectuels ont sans doute raison, mais les gens qui ont ressenti, dans leurs entrailles, l'angoisse provoquée au Québec par les deux enlèvements n'arrivent pas à donner tort aux autorités.

Mais le danger semble maintenant passé. Le noyau des terroristes actifs au Québec a sans doute éclaté par suite des enquêtes et des perquisitions de la police. Certes, les sympathisants anonymes redoublent d'ardeur et se montrent plus bavards que jamais. Mais les durs de durs ont probablement été réduits à l'impuissance. Les irréductibles du mouvement auront sans doute du mal à reprendre du poil de la bête. Tout semble indiquer qu'ils sont en danger de ne pas renaître, attendu qu'ils ont démontré qu'ils n'étaient pas viables en se rendant coupables d'une erreur d'optique. Ils ont pris le Québec pour une région sous-développée, ce qui est un point de vue défendable quand on s'ingénie à ne comparer le Québec qu'aux régions les plus riches du monde. Mais replacé dans une perspective mondiale, le Québec est loin d'être une région sous-développée comme il y en a tant en Amérique latine, en Afrique et au Proche-Orient. Le F.L.Q. a commis une erreur de perspective. Il a cru que, comme cela s'est produit dans ces régions, le Québec se dresserait derrière lui, tout comme des péons ou des bédouins se sont joints au rangs des Tupamaros ou des fedayin. L'insurrection qu'il espérait n'a pas eu lieu. Il a appliqué les recettes de Mao, mais sa vision romantique des choses l'aura empêché de voir que le Québec n'est pas la Chine...

★

Le F.L.Q. face aux autorités canadiennes, c'est l'excroissance d'un Québec latin et impétueux face à un Canada qui semble à certains passablement dépourvu de charmes. Il arrive ceci qu'une fraction de plus en plus nerveuse de nationalistes québecois rêve d'une nation dans le sens sociologique du terme. Cette faction semble présumer qu'une nation pareille est forcément plus heureuse et plus prospère que les autres, et ils s'imaginent que ce sont les « Anglo-Saxons » et le fédéralisme qui l'empêchent de naître au Québec. Cette conviction les anime d'une sainte colère contre tous ceux qui ne pensent pas comme eux, et c'est ainsi qu'ils s'enferment progressivement dans un sectarisme qui rappelle celui des coteries religieuses du temps de la Réforme. Ces gens font un rêve impossible. Ils pensent que la séparation va soustraire les quelque cinq millions de francophones de l'Amérique du Nord de l'influence des quelque deux cent millions d'anglophones.

Face au sectarisme des groupes nationalistes du Québec francophone, se dresse ce qu'on appelle « la majorité silencieuse » des Canadiens. Tout indique que cette majorité est contente de former « une nation » dans le sens politique du terme. Elle est d'autant plus contente que cette nation lui garantit tous les droits nécessaires à la conservation des caractéristiques propres à chacun des groupes ethniques qui la composent.

Pour le mieux ou pour le pire, la *nation canadienne* est consciente d'être formée d'apports divers, et en particulier, de deux groupes fondateurs : des gens qui sont au Canada depuis plusieurs générations et qui sont, soit d'origine française, soit d'origine britannique ou autre. Elle est également consciente du fait que, réunis, tous ces apports forment une communauté distincte des États-Unis, alors que s'ils étaient laissés à eux-mêmes, ils ne formeraient qu'une arrière-dépendance de l'empire américain : un réservoir béant de matières premières et de *cheap labour*.

Consciente de cette dure réalité, la nation canadienne ne peut faire autrement que de considérer comme dangereuses les tendances séparatistes de certains éléments nationalistes du Québec.

On schématise à peine lorsqu'on affirme que les partisans d'un Canada fort et uni sont des *patriotes* qui savent voir le bon côté de la nation à laquelle ils appartiennent, tandis que les partisans d'un Québec séparé du grand tout canadien sont des *nationalistes* qui s'ingénient à ne voir que le mauvais côté de la nation à laquelle ils appartiennent. Ces nationalistes prétendent aimer une nation qui n'existe que dans leur imagination, mais en réalité, ils ne savent que haïr la nation réelle et les éléments réels qui la composent. Au fond, ils obéissent à une loi vieille comme le monde : le nationalisme est un acte de haine ; le patriotisme, un acte d'amour.

9. LE SPECTRE DU SEPARATISME

Le F.L.Q. passera sans doute, mais le spectre du séparatisme demeure. Pour le moment, la situation semble vouloir se stabiliser et l'on est justifié de la résumer comme suit : tout comme P.E. Trudeau a su briser l'élan du mythe des deux nations en 1968, il a brisé celui du Front de libération du Québec durant la crise d'octobre en 1970. Une fois de plus, le Premier ministre s'est révélé l'homme fort dont le pays a besoin pour donner les coups de barre qui s'imposent en ces temps d'instabilité et de mutation.

Des intellectuels de toute tendance tentent présentement de tirer les leçons des événements qui viennent de se produire. Le ministre québecois de la Santé, M. Claude Castonguay, s'afflige de voir se radicaliser de plus en plus les positions. Il estime que deux blocs distincts sont en train de se cristalliser, d'un côté les *fédéralistes,* jugés réactionnaires de droite par leurs adversaires, et de l'autre, les *séparatistes* qui se définissent eux-mêmes

173

progressistes de gauche. Le ministre réprouve, et à juste titre, ces sortes de simplifications. L'on ne peut ignorer, dit-il, que « parmi ceux qui s'identifient au mouvement indépendantiste, l'on retrouve une large part de notre bourgeoisie et de nos élites qui traditionnellement ont fait preuve de conservatisme... Est-ce que la souveraineté ne nous conduirait pas encore plus rapidement que le *statu quo* à une solution où l'Etat serait contrôlé par la réaction et la droite ? »

Moins sereins, certains porte-parole des nationalistes québecois considèrent qu'en faisant décréter l'application de la loi des mesures de guerre, le Premier ministre Trudeau n'avait pas tellement en vue le rétablissement de l'ordre et de la paix au Québec, que la destruction du mouvement séparatiste. Voilà une accusation d'autant plus sérieuse que des anglophones n'hésitent pas à dire que c'est justement ce qu'a voulu M. Trudeau.

« L'accueil fait à la loi des mesures de guerre, dit M. Abraham Rostein, rédacteur du *Canadian Forum,* n'atteste pas seulement de la détermination de la majorité de supprimer les aspirations du Québec, mais également d'un désir inavoué de maintenir l'unité dans le pays, presque à n'importe quel prix. »

M. Rostein schématise. Il prend probablement ses appréhensions pour des réalités. En cherchant à supprimer le F.L.Q., le gouvernement ne vise pas à supprimer « les aspirations du Québec », mais seulement à tenir en respect un mouvement anarchiste qui ne jouit d'aucun appui sérieux dans la population du Québec.

L'auteur poursuit : « Jusqu'ici, l'attitude du reste du Canada a été de rester tranquille et de laisser agir le processus de l'autodétermination. Nul n'aurait imaginé que le Canada anglais aurait pu recourir à l'armée pour empêcher la séparation du Québec. C'est maintenant imaginable. »

Encore ici, l'analyste fait semblant d'ignorer les faits. Ce n'est pas le Canada « anglais » qui a dépêché des détachements du *Royal 22e régiment* à Montréal en octobre 1970. C'est le gouvernement du Québec qui a fait appel à l'assistance des militaires de l'armée du pays pour faciliter la tâche aux policiers de Montréal. Par conséquent, il n'est pas honnête de laisser entendre que les services de l'armée ont été sollicités par le Canada « anglais » pour « empêcher la séparation du Québec ».

Enfin, l'auteur conclut : « Le Canada anglais est trop convaincu maintenant qu'il est lié au Québec d'une manière qui fait que la séparation ne peut plus être envisagée comme une amputation facile et sans douleur... Nous formons désormais un pays, et une séparation, si elle se produisait, se révélerait énormément complexe pour les deux côtés. »

Ces dernières observations reflètent beaucoup mieux la réalité. La séparation du Québec entraînerait presque assurément la désintégration du reste du Canada, et un nombre de plus en plus grand de Canadiens en sont conscients. Or, on peut tenir pour certain que la presque totalité des Canadiens — à l'exception d'une très petite minorité de nationalistes francophones — sont attachés au Canada et tiennent à ce qu'il survive. Il n'est donc plus permis de se faire des illusions. Il semble désormais évident que la majorité canadienne fera tout en son pouvoir pour empêcher que le Québec ne détruise, en s'en séparant, un pays devenu cher à tous.

Si le Québec se séparait, ce serait la fin du Canada. Les Maritimes deviendraient le Bengale d'un nouveau Pakistan. Les Prairies et la Colombie-Britannique ne pourraient plus faire autrement que de s'abandonner à l'assimilation américaine. L'Ontario en ferait autant, ne pouvant forcément plus maintenir seul l'idéal canadien. Pour ce qui est du Québec, la séparation le délivrerait peut-être des capitalistes anglophones (comme le souhaitent les nationalistes), mais seulement pour le jeter dans les bras des capitalistes francophones, en attendant de

176

le livrer, pieds et mains liés, aux capitalistes américains. Le Canada se trouverait complètement détruit, et personne n'en tirerait profit. Les fragments épars du pays tomberaient un à un dans le *melting-pot* américain.

Les nationalistes se laissent volontiers aveugler par leur point de vue. Ils ne voient pas que les Canadiens ont désormais fait trop de choses ensemble, dans tout le pays et au Québec même, pour accepter sans protester que ce dernier se sépare, emportant avec lui le fruit de deux siècles de coexistence, compromettant, par le fait même, l'avenir de toute la « mosaïque » canadienne. Encore une fois, les Canadiens tiennent, plus qu'on ne saurait croire, à cette « mosaïque ». Ils y tiennent parce qu'ils savent désormais qu'isolés, leurs particularismes, si ténus soient-ils, s'évaporeraient tôt ou tard dans le grand tout américain. Regroupés sous un drapeau distinct, et dans des institutions politiques propres, ces particularismes se conjuguent pour former un pays : un pays qui protège du *melting-pot* ; un pays devenu cher aux yeux de tous.

Il est donc pensable que, même si le Québec décidait démocratiquement de se séparer, le reste du pays se soulèverait, comme se sont soulevés les Etats américains du Nord, en 1861, lorsque ceux du Sud ont voulu se séparer de l'Union. Ce serait la guerre civile, et il n'est pas difficile de prédire qui la gagnerait. Ce n'est là, bien sûr, qu'une hypothèse, mais il reste que la séparation du Québec ne laisserait pas indifférent le reste du Canada.

Le journaliste torontois Peter Newman a eu cette remarque après la crise d'octobre : « L'alternative d'une intervention armée par le gouvernement fédéral pour empêcher le Québec de se séparer du reste du Canada ne peut plus être écartée. » Un sociologue de Calgary, le professeur Richard Ossenberg, se fait, de son côté, prophète de malheur et annonce que « le Québec se séparera du reste du Canada d'ici quatre ans ou il faudra le maintenir au sein de la Confédération à la pointe du fusil ».

Voilà bien encore une affirmation claquante, mais sans fondement. Rien n'indique que le Québec se prononcera majoritairement en faveur de la séparation du reste du Canada d'ici quatre ans. Toutefois, le danger existe que des factions marginales tentent de faire la séparation malgré la volonté de la majorité. Si cela se produisait, d'autres factions se lèveraient assurément pour les combattre. Alors, les gouvernements d'Ottawa et de Québec devraient forcément avoir recours à la force pour enrayer les troubles et maintenir le *statu quo*.

Le poète canadien Al Purdy s'abandonne à de sombres réflexions. « Depuis la mort de Laporte, dit-il, les sentiments au Canada ont changé. Je ne suis plus si sûr que la séparation du Québec se ferait d'une façon pacifique. Plus personne ne doute que Pierre Trudeau a eu la froide détermination et le courage de dépêcher les forces armées du Canada au Québec afin que le Canada demeure une nation. »

Mais non, ce n'est pas ce qu'a fait M. Trudeau. S'il a dépêché des troupes au Québec, ce n'est pas, encore une fois, pour les raisons qu'indique M. Purdy, mais parce que le gouvernement du Québec lui en a fait la demande et que, constitutionnellement, Ottawa ne pouvait lui refuser.

Le poète Purdy devient plus convaincant et surtout plus troublant lorsqu'il enchaîne pour dire que les Canadiens français « ne sont pas mes ennemis, mais il est très possible que s'ils se sépareraient d'une manière ou d'une autre, je songerais à prendre mon fusil. Et c'est cela la tragédie. »

En effet. Mais il faut se garder de mal interpréter les événements. Dans tous les pays du monde, les autorités légitimes cherchent à réprimer la violence par tous les moyens dont ils disposent. Le Canada ne fait pas exception à cette règle. C'est incontestable que le F.L.Q. veut la séparation du Québec du reste du Canada (bien qu'il faille reconnaître que ses objectifs sont plus sociaux que nationalistes). Mais ce n'est pas parce que le F.L.Q. veut la séparation que le gouvernement cherche à le réprimer, mais parce qu'il la veut par des moyens violents. Tous les spécialistes s'accordent pour reconnaître au Québec le droit de se séparer du reste de la Confédération par des moyens démocratiques. Or, qu'est-ce que cela signifie ?

Supposons qu'en 1974, l'année où seront tenues les prochaines élections provinciales, le Québec ait à choisir — comme certains le prédisent — entre, d'une part, l'indépendantisme de René Lévesque et, d'autre part, le fédéralisme de Pierre Elliott Trudeau. Mettons les choses au mieux. Supposons que les deux hommes participent activement à la campagne et que René Lévesque remporte la victoire haut la main, que se produira-t-il alors ? Est-il concevable que le reste du Canada prenne les armes pour empêcher le processus démocratique de se dérouler normalement ? Ce serait très mal connaître les Canadiens des autres provinces que de répondre, tout de go, dans l'affirmative. Les Canadiens sont trop imbus du *fair play* inhérent à leurs institutions politiques pour être capables de réactions aussi passionnées. Par ailleurs, ce serait très mal connaître le *Parti québecois* et ses dirigeants que de croire qu'ils veulent une rupture totale et irréparable d'avec le reste du

180

pays. Ils veulent renégocier une nouvelle constitution. Ce sont, au fond, des réformistes. Les fédéralistes les accusent d'être trop pressés, cependant que les extrémistes les accusent de ne pas l'être assez.

Poussons plus loin l'hypothèse. Si le Québec se prononçait démocratiquement et par une majorité certaine en faveur de la séparation du reste du Canada, on peut supposer que les neuf autres provinces se mettraient aussitôt d'accord pour adresser à Londres une requête recommandant l'amendement de l'A.A.B.N. afin de permettre au Québec de se séparer, et le gouvernement britannique ne pourrait faire autrement que de s'exécuter. Il est également permis de supposer que les neuf provinces, ainsi que le Québec « séparé » s'empresseraient de négocier une nouvelle association (qui ressemblerait, dans ses grandes lignes, à celle qui existe déjà).

Il est à noter que, dans l'hypothèse qui précède, le difficile n'est pas de faire bouger les autres provinces ou Whitehall, mais d'obtenir que la majorité des Québecois se prononcent en faveur de la séparation.

Tout indique que, dans le contexte actuel, nombre de Québecois désirent, bien sûr, des changements constitutionnels, mais peu nombreux sont ceux qui désirent réellement la séparation. Le

181

Québec n'a rien de monolithique. Forts de l'expérience acquise durant la crise d'octobre, la plupart des Québecois se défient plus que jamais des aventures. Certains s'affichent comme des réformistes convaincus, d'autres restent partisans de l'option de René Lévesque, d'autres enfin se disent convaincus que hors du séparatisme point de salut pour le Québec. Aucune de ces options, toutefois, ne représente une majorité déterminante. Aussi, si l'une ou l'autre s'avisait d'imposer son point de vue par la violence, elle peut être assurée que les autorités en place feront de leur côté appel à la force. Mais si l'une de ces options devient majoritaire, il n'y a pas lieu de craindre une répression aveugle et brutale comme au Bengale. Le reste du Canada s'inclinerait devant la volonté de la majorité au Québec et s'efforcerait de réduire au minimum les dégâts. En attendant le verdict de la démocratie, les membres du F.L.Q. et leurs semblables auront à subir la répression des autorités en place s'ils cherchent encore à vouloir imposer leurs vues par la force ou le chantage.

A la lumière des graves commentaires qu'a inspirés et inspire encore la crise d'octobre, on peut se faire une idée de l'ampleur du défi que représente le spectre du séparatisme québecois aux yeux de Pierre Elliott Trudeau, Québecois francophone, Premier ministre du Canada.

Trudeau, l'imprévisible.

On mesure, dit-on, les grands hommes au nombre de leurs ennemis. Pierre Elliott Trudeau s'est fait beaucoup d'ennemis en se montrant intraitable à l'égard de toutes les opinions et de toutes les entreprises séparatistes au Québec. Mais il s'est aussi fait beaucoup d'amis en se portant, comme il l'a fait, à la défense du Canada avec courage et lucidité. Au régionalisme érigé en système et aux exclusivismes linguistiques ou raciaux, il oppose le pluralisme et l'universalisme. A l'instar d'illustres prédécesseurs, il a su assurer la continuité historique d'une nation (politique) qui a le malheur de ne plaire pleinement à personne, mais qui dure contre vents et marées parce qu'elle se révèle indispensable à tous.

Le Canada n'est pas un pays facile. Il est issu d'un mariage de raison contracté justement à l'époque où une crise séparatiste faisait éclater une pénible et coûteuse guerre civile aux Etats-Unis. Le contrat est loin d'être sans défaut, mais il tient depuis cent ans, ce qui indique qu'il est meilleur qu'on croit. En tout cas, plusieurs hommes politiques d'envergure ont cru devoir consacrer le meilleur d'eux-mêmes à sa défense. Le destin de Pierre Elliott Trudeau aura été de prendre la barre du bateau de la Confédération aux heures difficiles mais exaltantes où il a doublé le cap du premier siècle de son existence. Réussira-t-il à éviter le naufrage que d'aucuns se plaisent à prédire ? Personne n'en doute parmi ceux qui connaissent la puissance de persuasion et la ténacité de l'homme. Toute sa vie, il a travaillé pour le triomphe des principes qu'entend respecter le Canada, soit l'unité d'*une nation* qui se veut distincte des Etats-Unis, mais qui entend respecter l'autonomie et les caractéristiques distinctives de chacune des parties qui la composent.

Si l'on essaye de voir les choses dans une perspective plus large, on se sent justifié de dire que Pierre Elliott Trudeau est venu à son heure. C'est un homme de méthode et de décision. Il est de la race de ceux qui jouent et gagnent. Il a entrepris un grand travail et il achèvera son œuvre, après quoi il partira comme il est venu : sans manières et sans intrigues.

Le 4 mars 1971, Pierre Elliott Trudeau épousait, dans la plus stricte intimité, Margaret Joan Sinclair, la fille de M. James Sinclair, ex-ministre des Pêcheries dans le gouvernement Saint-Laurent. La cérémonie se déroula devant seulement treize personnes dans une petite église du nord de la ville de Vancouver, sur la côte du Pacifique. Simultanément, s'abattait sur Montréal la pire tempête de neige du siècle. Ce n'est que tard, dans la soirée, que les Canadiens ont appris la nouvelle. Une fois de plus, leur Premier ministre leur démontrait à quel point il pouvait se montrer imprévisible. D'un seul coup, il brisait l'image du célibataire mystérieux que sa légende lui avait faite. Un homme de son âge, épouser une jeune personne de vingt-deux ans ? Ne va-t-il pas se rendre ridicule ? Mais une fois de plus, cet homme étonnant devait triompher sans peine des appréhensions que son geste aura pu faire naître. Il lui a suffi de présenter au pays sa jolie femme, et il a gagné. Trudeau, l'imprévisible.

Un ministre du cabinet fédéral qui connaît bien le Premier ministre se plaît à prédire de quelle manière il partira. « Un jour, dit-il, quand il pensera qu'il a rempli sa tâche, il dirigera le Conseil des ministres comme d'habitude — c'est le meilleur président de groupe que j'aie connu — puis, au moment de lever la séance, il dira : *A propos, messieurs, je démissionne. Je pars pour le Tibet.* Il s'envolera le soir même et on ne le reverra plus. Mais il aura remis le Canada d'aplomb. »

Quelques écrits
de
Pierre Elliott Trudeau

Je n'ai jamais pu accepter de discipline, sauf celle que je m'imposais — à moi-même — et il fut un temps où je m'en imposais beaucoup. Car, dans l'art de vivre, comme d'aimer, comme de se gouverner, et c'est tout un, je ne pouvais admettre qu'un autre prétendît savoir mieux que moi-même ce qui était bon pour moi. La tyrannie, par conséquent, m'était proprement intolérable (...).

Arrivé à l'âge d'homme, je me rendis compte que les modes idéologiques étaient le véritable ennemi de la liberté. Or, dans l'ordre politique, les idées reçues ne sont pas seulement un carcan pour l'esprit, elles sont le germe même de l'erreur. Lorsqu'une idéologie politique devient universellement accréditée chez les élites, lorsque les « définisseurs de situation » l'embrassent et la vénèrent, c'est le signe : il est plus que temps pour les hommes libres de la combattre (...).

Mon action politique, ou ma pensée, pour peu que j'en ai eue, s'exprime en deux mots : faire contrepoids. Ainsi, (...) c'est parce que le gouvernement fédéral était trop faible que je m'y suis laissé catapulter.

Citoyen de ce pays, et avec ces principes, j'aurais été Canadien français d'adoption, si je ne l'avais déjà été de naissance. Et le Canada français eût-il manqué de gens pour lui prêcher la fierté collective, j'aurais sans doute été à la pointe du combat ! Mais, grands dieux ! nous n'avons eu que cela, des prédicateurs de fierté et des prophètes de mission providentielle.

Le Fédéralisme et la Société canadienne-française,
Éditions H. M. H., collection « Constantes »,
vol. 10, Montréal, 1967, Avant-propos.

Il n'y a pas plusieurs issues à notre impasse. Cessant un moment de trembler à la pensée du danger, cessant de nous entretenir dans nos traditions en salissant ce qui s'oppose à elles, il faudrait considérer quelle action positive peut soutenir nos croyances.

Nous voulons témoigner du fait chrétien et français en Amérique. Soit ; mais faisons table rase de tout le reste. Il faut soumettre au doute méthodique toutes les catégories politiques que nous a léguées la génération intermédiaire : la stratégie de la résistance n'est plus utile à l'épanouissement de la Cité. Le temps est venu d'emprunter de l'architecte cette discipline qu'il nomme « fonctionnelle », de jeter aux oubliettes les mille préjugés dont le passé encombre le présent, et de bâtir pour l'homme nouveau.

> Texte datant de 1950, cité par Gérard Pelletier dans l'« Introduction » à *Réponses de Pierre Elliott Trudeau*, Editions du Jour, Montréal, 1968.

... les Etats ne sont pas des réalités imposées aux hommes par la nature, ni par aucune autre force surnaturelle. Un Etat, c'est l'expression d'une volonté commune à plusieurs hommes, c'est le fruit d'un choix.

Je ne choisis pas le Canada parce que le passé nous l'impose ni parce que le présent nous le commande. Je le choisis... parce qu'il représente un défi plus exigeant, plus excitant et plus enrichissant que la rupture séparatiste, parce qu'il offre à l'homme québecois, à l'homme canadien-français, à l'occasion, la chance historique de participer à la création d'une grande réalité politique de l'avenir.

Pour créer cet avenir, il faut non seulement nous y mettre résolument, mais il faut aussi nous donner les moyens, les instruments de sa réalisation. Nous avons commencé déjà ; il faut continuer. Le Québec et le Canada français se sont engagés dans la voie du progrès ; ils doivent y rester. La seule chose qui pourrait nous empêcher de bâtir le Canada et d'y élargir notre place au soleil, ce serait un retour à l'immobilisme des années 50, ou encore la complaisance dans les débats stériles et théoriques qui ont trop longtemps tenu lieu chez nous d'action sociale économique et politique (...).

Aujourd'hui, le défi qui se présente à nous, Canadiens français, c'est d'appliquer l'esprit authentique de la révolution tranquille à la réforme du gouvernement central. Ce que nous avons entrepris au niveau provincial, il faut le continuer au niveau fédéral. Là non plus, il ne faut pas nous contenter de défendre des droits : il faut les exercer pleinement, comme nous avons déjà commencé de le faire. Il nous faut agir et assumer nos responsabilités dans *tous* les domaines de compétence fédérale, qu'il s'agisse des opérations financières, du commerce, des affaires extérieures ou de la défense. Aucun de ces domaines ne nous est fermé, aucun ne doit nous être étranger, rien ne peut nous empêcher d'y jouer un rôle de premier plan. Et c'est en jouant ce rôle que nous ferons rayonner notre culture propre à travers tout le pays. C'est dans ce sens-là qu'Ottawa peut devenir, pour le français, une caisse de résonance, un instrument de diffusion plus puissant que tous ceux dont nous disposons ici.

> Conférence prononcée au Club Richelieu, Montréal, le 2 avril 1968. Reproduite en extraits in *Réponses de Pierre Elliott Trudeau*, op. cit.

Le fédéralisme.

... le fédéralisme a toujours été un produit de la raison. Il naquit d'une décision prise par des politiciens pragmatiques à l'effet d'envisager sans détour la réalité telle qu'elle est, et en particulier le fait de l'hétérogénéité de la population du monde. Il répond à une tentative de trouver des compromis rationnels entre les groupes et les intérêts divergents que l'histoire a mis sur une même route, mais c'est un compromis fondé sur la volonté populaire.

> *Le Fédéralisme et les Canadiens français,* op. cit., p. 206.

193

Le fédéralisme, comme d'ailleurs le Marché commun, est un compromis entre la souveraineté locale et la souveraineté multinationale. Encore une fois, il faut choisir. L'autarcie, l'indépendance absolue — ça ne va pas dans le sens du progrès ni de l'histoire contemporaine. Lisez Servan-Schreiber sur les Etats-Unis, et lisez sa critique de l'Europe de de Gaulle ! On ne peut pas chercher en même temps les avantages d'un super-pays — ce qu'on appelle ici le fédéralisme — et la souveraineté absolue pour une parcelle de ce pays.

On peut raisonner dans l'absolu et dire que la culture, la langue, l'économique, les affaires extérieures sont tellement liées qu'il faut avoir une indépendance absolue mais, à ce moment-là, on met fin au Marché commun, à la francophonie, au Commonwealth, à tous les pays fédérés et on retourne vers le nationalisme économique le plus absolu. C'est ça l'extrême limite du nationalisme, c'est l'autarcie. D'autre part, l'extrême limite de l'internationalisme, c'est d'abolir tous les gouvernements locaux et de tout fondre dans un super-gouvernement qui ferait des lois pour tout l'univers.

Pour moi, les deux excès sont à rejeter. J'aime bien qu'il y ait des gouvernements plus larges pour tenter de résoudre des problèmes qui sont communs à plusieurs régions. Et ça, c'est le fédéralisme. Et j'ai toujours cru que c'était la meilleure forme de gouvernement pour le Canada.

Réponses de Pierre Elliott Trudeau,
op. cit., pp. 48-49.

Il est faux de prétendre que, pour les Canadiens français, le fédéralisme a été un échec ; il faudrait plutôt dire qu'ils ne l'ont guère essayé. Dans le Québec, nous avons eu tendance à nous replier sur un autonomisme largement stérile et négatif ; et à Ottawa nous avons souvent pratiqué un abstentionnisme qui a favorisé le développement d'un paternalisme centralisateur. Or, si nous ne nous sentons pas le courage et la force de nous lancer dans la politique canadienne où — au pire — nous jouons à un contre deux, comment pouvons-nous prétendre faire entendre notre voix dans le monde où — au mieux — nous crierions à un contre cent ?

Le Fédéralisme, op. cit., p. 39.

La Constitution.

Il est de l'essence d'une constitution qu'elle soit faite pour durer longtemps. En effet, c'est d'elle que toute autorité légale découle, et si la constitution n'engage qu'en courte période, elle n'engage pas du tout : les individus, et plus encore les groupes de pression, ne se sentiront pas liés par des lois qui les défavorisent ou par des gouvernements avec lesquels ils ne sont pas en accord ; puisque la règle du jeu constitutionnel doit changer bientôt, autant la changer incessamment. Un pays où s'établit une telle mentalité oscille entre la révolution et la dictature. Une fois partie sur cette voie, la France s'est donné 18 constitutions en 180 ans (...).

Le Canada tient le huitième rang dans le monde pour l'âge de sa constitution. Parmi les pays de constitution fédérale, il se classe au deuxième rang pour la durée de la sienne. Il possède la plus vieille des institutions qui joignent à la forme fédérative les principes du gouvernement responsable.

Le Fédéralisme, op. cit., pp. 50 et 138.

Le nationalisme.

... les théoriciens du nationalisme qui poursuivaient avec tant d'ardeur « l'honneur de la doctrine et les palmes de l'apostolat » furent les grands responsables de ce que la politique chez nous — en se concentrant sur le nationalisme — ne dépassa jamais le palier émotif, qui n'a que faire de doctrines, et où l'apostolat remporte moins de victoires que la machine électorale et l'esprit de parti.

La Grève de l'amiante, Les Editions de Cité Libre, Montréal, 1956, p. 69.

Tout le temps et toutes les énergies que nous employons à proclamer les droits de notre nationalité, à invoquer notre mission providentielle, à claironner nos vertus, à pleurer nos avatars, à dénoncer nos ennemis, et à déclarer notre indépendance, n'ont jamais rendu un de nos ouvriers plus adroit, un fonctionnaire plus compétent, un financier plus riche, un médecin plus progressif, un évêque plus instruit ni un de nos politiciens plus ignare. Or, si l'on excepte quelques originaux bourrus, il n'est probablement pas d'intellectuel canadien-français qui n'ait discuté de séparatisme au moins quatre heures par semaines depuis un an ; cela fait combien de milliers de fois deux cents heures employées exclusivement à nous battre les flancs ? Car qui peut affirmer avoir entendu, pendant ce temps, un seul argument qui n'aurait pas déjà été débattu *ad nauseam* il y a vingt ans, il y a quarante ans et il y a soixante ans ? Je ne suis même pas sûr qu'on ait exorcisé un seul de nos démons : les séparatistes de 1962 que j'ai rencontrés ont, ma foi ! des têtes généralement sympathiques ; mais les rares fois où j'ai eu l'honneur de discuter un peu longuement avec eux, je me suis presque toujours heurté à l'esprit totalitaire des uns, à l'antisémitisme des autres, et, chez tous, un culte généralisé de l'incompétence économique.

Or, c'est cela que j'appelle la nouvelle trahison des clercs : cette frénésie hallucinante d'un large secteur de notre population pensante à se mettre — intellectuellement et spirituellement — sur des voies d'évitement.

Le Fédéralisme, op. cit., p. 176.

Il se peut que le nationalisme ait encore un rôle à jouer dans les sociétés arriérées où l'on maintient le *statu quo* par des forces irrationnelles et brutales. Dans des circonstances pareilles et *parce qu'il n'y a pas d'autre issue,* les passions nationalistes continueront de servir à déclencher des révolutions, à se débarrasser du colonialisme et à établir les fondements de l'Etat-providence.

On devra, dans des cas semblables, en accepter les conséquences malheureuses avec les effets salutaires (...).

Dans le monde de demain, l'expression « républiques de bananes » ne s'appliquera plus aux nations indépendantes où l'on cultive les arbres fruitiers, mais aux pays où une indépendance toute formelle aura été jugée plus importante que la révolution cybernétique.

Le Fédéralisme, op. cit., p. 214.

Les phénomènes de générations n'ont pas grand-chose à voir avec la vérité politique. Chaque génération rejette la génération précédente et essaie de faire mieux. C'est de bonne guerre, c'est normal. Je regrette simplement que la génération d'aujourd'hui ne nous ait pas dépassés sur la gauche et qu'elle se soit retournée vers les solutions de mon grand-père.

J'aurais trouvé cela plus impressionnant si la génération des vingt à trente ans s'était tournée vers une sorte d'internationalisme, ou de socialisme... ou n'importe quoi... Se tourner vers le nationalisme du XXe siècle, je ne trouve pas cela très fort. Disons que c'est ma défense contre ceux qui se définissent aujourd'hui comme la gauche.

Moi, je trouve que c'est une erreur de prétendre qu'on est à gauche quand on base ses idéologies sur des critères ethniques ou religieux. Pour moi, c'est cela l'essence de la droite : partir de ce qui singularise les hommes et les rend incommunicables plutôt que de partir de ce qui est commun à tous les hommes. A mes yeux, le nationalisme est donc, par essence, à droite.

Réponses de Pierre Elliott Trudeau,
op. cit., p. 52.

... J'aime bien ce parlementaire français qui disait que sa politique était d'être à gauche, mais pas plus loin. C'est à peu près ça. A gauche, c'est-à-dire que, j'aime mieux courir la chance avec le progrès plutôt que de prendre le risque du conservatisme. Et je pense qu'il faut risquer un peu lorsqu'on veut changer et, l'un dans l'autre, je suis généralement d'avis qu'il faut prendre ce risque.

Réponses, op. cit., p. 61.

Les nationalistes — même de gauche — sont politiquement réactionnaires parce qu'en donnant une très grande importance à l'idée de nation dans leur échelle de valeurs politiques ils sont infailliblement amenés à définir le bien commun en fonction du groupe ethnique plutôt qu'en fonction de l'ensemble des citoyens, sans acception de personne. C'est pour cela qu'un gouvernement nationaliste est par essence intolérant, discriminatoire et en fin de compte totalitaire. Un gouvernement vraiment démocratique ne peut pas être « nationaliste », car il doit poursuivre le bien de tous les citoyens, sans égard à leur origine ethnique. La vertu que postule et développe le gouvernement démocratique, c'est donc le civisme, jamais le nationalisme ; sans doute, un tel gouvernement fera des lois où les groupes ethniques prendront leur profit, et le groupe majoritaire en prendra proportionnellement à son nombre ; mais cela viendra comme une conséquence de l'égalité de tous et non comme un droit du plus fort. En ce sens, on peut dire que la province de Québec a toujours eu une politique d'éducation plutôt démocratique que nationaliste ; je n'en dirais pas autant de toutes autres provinces.

Cité Libre, avril 1962.

... la liberté s'est avérée une boisson trop capiteuse pour être versée à la jeunesse canadiennefrançaise de 1960. Elle y eut à peine goûté qu'elle s'empressa au plus vite de rechercher quelque lait plus rassurant, quelque nouveau dogmatisme. Elle reprocha à ma génération de ne lui avoir proposé aucune « doctrine » — nous qui avions passé le plus clair de notre jeunesse à démolir le doctrinarisme servile — et elle se réfugia dans le sein de sa mère, la Sainte Nation.

Comme me l'écrivait un ami, dernièrement : au sectarisme religieux, on substitua le sectarisme national. Les dévots séparatistes et les autres rongeurs de balustre au Temple de la Nation désignent déjà du doigt le non-pratiquant. Aussi bien, nombre d'incroyants trouvent avantageux de faire leurs Pâques nationalistes, car ils espèrent ainsi accéder aux fonctions sacerdotales et épiscopales, sinon pontificales, et être habilités par ce fait à réciter les oraisons, faire circuler les directives et encycliques, définir les dogmes et prononcer les excommunications, avec l'assurance de l'infaillibilité ! Ceux-là qui n'accèderont pas au sacerdoce pourront espérer devenir marguilliers en récompense des services rendus ; à tout le moins ils ne seront pas embêtés quand le nationalisme sera devenu religion d'Etat (...).

202

... au Québec aujourd'hui, il faut parler de contre-révolution séparatiste. Certes, les libertés personnelles n'ont pas toujours été à l'honneur au Québec. Mais, je le répète, on y était à peu près arrivé en 1960. Grâce à des avocats anglais et juifs (eh ! oui...), grâce à la Cour Suprême à Ottawa, les libertés personnelles avaient fini par triompher sur l'obscurantisme du législateur québecois et l'autoritarisme de nos tribunaux (...).

Or, voici qu'aujourd'hui, il ne se passe guère de semaine sans qu'une poignée d'étudiants séparatistes ne viennent me dire qu'ils sont contre la démocratie et pour le parti unique, pour un certain totalitarisme et contre les libertés personnelles. Ils sont en cela dans la plus pure ligne de ce que notre société a toujours produit de plus traditionaliste, de plus cléricaliste, de plus monolithique, et de plus rétrograde. Ils veulent réinstaller notre population dans une mentalité d'état de siège.

C'est qu'au fond, les séparatistes désespèrent de pouvoir jamais convaincre le peuple de la justesse de leurs idées. Ce long travail d'éducation et de persuasion auprès des masses, que les syndicalistes ont entrepris il y a plusieurs décennies, que les créditistes eux-mêmes ont fait depuis trente ans, les séparatistes n'ont ni le courage, ni les moyens, ni surtout ce respect de la liberté de l'autre, qu'il faudrait pour l'entreprendre et le mener à bien.

Alors, ils veulent abolir la liberté et imposer la dictature de leur minorité. Ils sont en possession tranquille de la vérité, alors les autres n'ont qu'à se ranger. Et quand ça ne va pas assez vite, ils ont recours à l'illégalité et à la violence. Par-dessus le marché, ils se disent persécutés. Voyez-vous ça, les pauvres petits ! Ils font nombre dans les salles de rédaction de nos journaux, ils pullulent à Radio-Canada et à l'Office du Film, ils pèsent de tout leur poids (?) sur les *mass media,* mais ils trouvent néanmoins injuste la place qui leur est faite dans cette société.

Parce que quelques-uns des leurs ont été ennuyés pour leurs idées (qu'ils disent...), ils veulent en finir avec les moyens pacifiques et constitutionnels. Ils déclarent aux journaux que désormais ils entre-ront dans la clandestinité. Ces terroristes terrorisés seront dirigés par un Monsieur X. Et, dans un courageux anonymat, ils sèmeront leurs idées — en attendant de placer leurs bombes !

Le Fédéralisme, op. cit., pp. 221-224-225.

Le séparatisme.

La France a toujours ses Bretons et ses Alsaciens, l'Angleterre, ses Ecossais et ses Gallois, l'Espagne, ses Catalans et ses Basques, la Yougoslavie, ses Croates et ses Macédoniens, la Finlande, ses Suédois et ses Lapons, et ainsi de suite pour la Belgique, la Hongrie, la Tchécoslovaquie, la Pologne, l'Union soviétique, la Chine, les Etats-Unis, tous les pays de l'Amérique latine, et que sais-je encore ? (...)

... Cuba revient toujours dans les discussions séparatistes... C'est de toute évidence un coq-à-l'âne. Ce pays était souverain sous Batista et il est souverain sous Castro. Il était économiquement dépendant autrefois, il l'est encore maintenant. Le *self-government* n'y existait pas jadis, il n'y existe toujours pas aujourd'hui. Bon ; et qu'est-ce que ça prouve ? Que Castro n'est pas Batista ? Bien sûr ; mais l'Hydro-Québec sous René Lévesque n'est pas l'Hydro sous Daniel Johnson. Nous voilà bien avancés vers le séparatisme...

Le Fédéralisme, op. cit., pp. 168 et 163.

Les personnes qui veulent miner ou détruire le fédéralisme canadien ont à définir clairement les risques de l'aventure, et à démontrer que la nouvelle situation juridique et politique qu'ils désirent établir favoriserait les intérêts généraux du peuple.

Mais loin de faire cela, cette école de pensée se contente d'affirmer que l'indépendance ne se traduirait pas *nécessairement* par une chute radicale du niveau de vie ; elle reconnaît toutefois que les données manquent pour en être sûr. Ces gens opinent qu'un Québec « libre » serait peut-être dominé par une bourgeoisie rétrograde et autoritaire, mais ils sont prêts à courir ce risque. Ils comptent qu'un Etat souverain mettrait fin au sentiment d'aliénation culturelle réelle ou imaginaire dont souffrent certains Québecois ; mais ils conviennent que le Québec devra peut-être, pour y arriver, passer par une période d'obscurantisme. Toutefois ils ne s'arrêtent guère à démontrer comment tout cela est un préalable nécessaire pour secourir ceux qui vivent dans les taudis, ou ceux qui végètent sur la ferme. En guise de consolation, ils nous disent qu'après l'indépendance, les erreurs que nous commettrons auront au moins l'avantage d'être nôtres !

Face à ces attitudes, il me semble que les classes laborieuses doivent éprouver le besoin d'entrer dans le débat. Car en définitive c'est encore et toujours le peuple qui paie les pots cassés : c'est lui qui souffrirait le plus d'une baisse du niveau de vie ; c'est lui qui serait le plus atteint par une période de stagnation politique et sociale ; c'est lui qui le premier tomberait dans le chômage et la misère ; bref, les erreurs que « nos » classes dirigeantes commettraient, c'est surtout le peuple qui en ferait les frais.

Ce n'est pas dire que les représentants des classes laborieuses doivent systématiquement être opposés aux réformes constitutionnelles. Ce n'est pas l'idée de changement qui aura jamais fait peur à ces classes ; elles veulent seulement être convaincues qu'il s'agit d'un changement pour le mieux et non pour le pire (...).

Pour des organisations qui songent aux classes laborieuses du Québec, ce serait de la pure irresponsabilité que de vouloir saborder le fédéralisme en disant : Advienne que pourra ! Pour de tels mouvements, le bénéfice du doute doit être du côté d'institutions politiques sous l'égide desquelles les Canadiens ont atteint le deuxième ou troisième plus haut standard de vie au monde. Et le fardeau de la preuve incombe à ceux qui voudraient plonger tout un peuple dans l'inconnu.

Le Fédéralisme, op. cit., pp. 25-26-27.

Les vrais défis.

Louis Armand, spécialiste de la technique en France, a pu dire : « Avant la dernière guerre, il vous suffisait d'avoir des matières premières, de la main-d'œuvre, des fonds et de l'énergie, vous étiez un pays industriel, quel que soit votre potentiel humain et financier. Actuellement, c'est fini. Il n'y a plus qu'une matière première : la matière grise... » (...)

La première loi de la politique, c'est de partir des choses données. La seconde, c'est de tenir compte du rapport réel de forces qui oppose ou relie entre eux les agents politiques en présence. C'est ainsi qu'il sera évident, même pour l'observateur québecois le moins perspicace, que toutes les réformes constitutionnelles, et la déclaration d'indépendance elle-même, ne feraient pas du français une langue importante pour le commerce et l'industrie dans l'ensemble de l'Amérique du Nord, ni du Québec un Etat capable de dicter ses conditions au reste du continent... En Amérique du Nord, le français est la langue maternelle de cinq ou six millions de personnes, l'anglais, celle de cent quatre-vingt-dix millions.

Le Fédéralisme, op. cit., pp. 19, 14 et 15.

Il faut que sur le plan de l'esprit, le Québec s'affirme comme un lieu où s'épanouissent les valeurs morales, intellectuelles, artistiques, scientifiques et techniques. Quand le Québec aura produit ou attiré suffisamment de vrais philosophes, de vrais savants, de vrais cinéastes, de vrais économistes, de vrais cybernéticiens, et suffisamment de véritables hommes d'Etat, le fait français se portera bien en Amérique du Nord et n'aura pas besoin de béquilles indépendantistes pour marcher.

Le Fédéralisme, op. cit., p. 42.

Les jeux sont faits au Canada : *il y a* deux groupes ethniques et linguistiques ; chacun est trop fort, trop bien enraciné dans le passé et trop bien appuyé sur une culture-mère, pour pouvoir écraser l'autre. Si les deux collaborent au sein d'un Etat vraiment pluraliste, le Canada peut devenir un lieu privilégié où se sera perfectionnée la forme fédéraliste de gouvernement, qui est celle du monde de demain. Mieux que le *melting-pot* américain, le Canada peut servir d'exemple à tous ces nouveaux Etats africains et asiatiques qui devront apprendre à gouverner dans la justice et la liberté leurs populations polyethniques. Cela en soi ne suffit-il pas à dévaloriser l'hypothèse d'un Canada annexé aux Etats-Unis ?... Le fédéralisme canadien est une expérience formidable, il peut devenir un outil génial pour façonner la civilisation de demain (...).

Encore une fois, les jeux sont faits au Canada : aucun des deux groupes linguistiques ne peut assimiler l'autre de force. Mais l'un ou l'autre, même l'un *et* l'autre peuvent perdre la partie par défaut, se détruire de l'intérieur, et mourir d'asphyxie.

Le Fédéralisme, op. cit., pp. 188-189.

La crise d'octobre.

Le peuple doit être protégé contre les menées de fanatiques capables de tout, même des crimes les plus odieux, qu'ils tentent de faire passer pour des actes d'héroïsme (...).

Le F.L.Q. détient comme otages dans la région de Montréal deux hommes, un diplomate britannique et un ministre du gouvernement québecois. On menace de les assassiner. Si les gouvernements cédaient à ce grossier chantage, la loi de la jungle finirait alors par supplanter nos institutions juridiques, qui se désagrégeraient graduellement. Car enfin, si, comme certains le suggéraient, on avait accédé cette fois-ci aux exigences des terroristes, quitte à exercer « la prochaine fois » une sévérité et une vigilance accrues, on n'aurait fait que retarder l'échéance. Demain, la victime aurait été un gérant de caisse populaire, un fermier, un enfant. Ç'aurait été, dans tous les cas, un membre de votre famille.

Est-ce alors seulement qu'il aurait fallu s'opposer au chantage ? Combien d'enlèvements aurait-il fallu avant de dire non aux ravisseurs ? L'histoire ne nous a-t-elle pas suffisamment éclairés sur ces pays qui ont payé cher une complaisance de cet ordre, trop longtemps entretenue ? (...).

Pour survivre, toute société démocratique doit pouvoir se débarrasser du cancer que représente un mouvement révolutionnaire armé, voué à la destruction des fondements mêmes de notre liberté.

Pour cette raison, après avoir examiné la situation, et compte tenu des requêtes du gouvernement du Québec et de la ville de Montréal, le gouvernement du Canada a décidé de proclamer la Loi sur les mesures de guerre (...). Elle accorde au gouvernement des pouvoirs très étendus. Elle met aussi en suspens l'application de la Déclaration canadienne des droits de l'homme. Je peux vous assurer que ce n'est pas de gaieté de cœur que le gouvernement assume de tels pouvoirs. Il ne s'y est résolu que lorsqu'il est devenu évident

que la situation ne pouvait plus être maîtrisée
autrement (...).

Allocution prononcée sur les ondes de
Radio-Canada le vendredi 16 octobre 1970.
Cf. *La Presse*, 17 octobre 1970.

... habitués que nous étions à vivre dans la raison et la modération, nous n'avions pas suffisamment prêté attention à l'émergence d'une nouvelle
faune de fanatiques et de barbares. Ces individus
ne sont pas des réformateurs, car ils n'offrent
aucune solution de rechange aux programmes du
gouvernement. Ce ne sont pas non plus des révolutionnaires, car ils ne proposent aucune nouvelle
forme de gouvernement. Nous avons affaire à des
anarchistes qui sont prêts à faire fi de tous les
bienfaits de la civilisation, à tenir pour nuls tous
les progrès que les hommes ont accumulés au
cours des siècles au prix de tant d'efforts. Et ils
n'ont rien à offrir en échange...

Allocution prononcée devant le congrès
libéral d'Ottawa, le 23 novembre 1970.

Nous avons eu un geste pénible à poser et à accepter, mais nous étions tous, vous, nous autres, bien trop vivants et libres pour laisser notre générosité dégénérer en complaisance. C'eût été cela, le scandale. Car le scandale n'est pas d'avoir agi : il aurait été de ne rien faire (...).

Allocution prononcée au dîner-bénéfice du
parti libéral à Montréal, le 21 février 1971.

Il faut éviter de concevoir l'Etat comme une machine à commander l'obéissance et imposer l'ordre. L'Etat véritablement démocratique doit plutôt *rechercher* l'obéissance, il doit plutôt susciter l'adhésion des citoyens en maintenant un ordre qui leur paraîtra juste. Dans ces conditions, l'exercice de la force, — armée, police, prison, — ne peut devenir une fonction *habituelle* des gouvernements. Mon idée d'un Etat « fait sur mesure » s'applique abondamment ici : l'Etat ne doit user de force que dans la mesure où des personnes ou des organisations tentent elles-mêmes d'en user contre le bien commun. S'il est vrai qu'en dernière analyse, l'Etat doit détenir le monopole de la force, ce n'est pas tant pour en faire usage que pour empêcher quelqu'un d'autre d'en usurper les foudres.

C'est donc à tort que les détracteurs de la démocratie assimilent parfois cette forme de gouvernement à l'anarchie, au désordre et à l'impuissance. L'Etat démocratique est un Etat fort ; mais cette force étant appuyée sur le consentement, elle ne peut s'exercer que dans le sens où l'ensemble des citoyens le désire.

Les Cheminements de la politique,
Editions du Jour, Montréal, 1970, p. 119.

CHRONOLOGIE

1534. Découverte du Canada par Jacques Cartier.

1608. Fondation de Québec par Samuel de Champlain.

1760. Capitulation de Québec (fin du régime français).

1774. L'Acte de Québec (garantit les droits essentiels).

1792. L'Acte constitutionnel (séparation du Haut du Bas Canada).

1840. L'Acte d'Union (union du Haut et du Bas Canada).

1867. L'Acte de l'Amérique britannique du Nord (Régime fédéral).

★

1911. Révolte au Mexique.
Chute de Wilfrid Laurier, libéral (21 septembre).
Début de la lutte pour l'indépendance du Canada.

1912. Le *Titanic* (14-15 avril).
La guerre des Balkans (8 octobre - 3 décembre).

1914. La Première Guerre mondiale (15 octobre); 60 611 Canadiens meurent au champ d'honneur.

1915. Canadiens victimes de gaz allemands à Ypres, Belgique (22 avril).

1916. Le Manitoba abolit les écoles bilingues (Règle-
ment 17).

1917. La Révolution d'octobre en U. R. S. S. (mars à
novembre).
Les U. S. A. entrent en guerre (6 avril).
La conscription au Canada (28 août).
Nationalisation des *Canadian National Railways*
(C. N. R.).

1918. Fin de la guerre; signature de l'armistice
(11 novembre).
La grippe espagnole (vingt millions de morts
dans le monde).

1919. Fondation de la *Société des Nations* : le Canada
y est admis comme membre distinct de
l'Angleterre (10 janvier).
Mort de Wilfrid Laurier (17 février).
La grève de Winnipeg (15 mai); l'ex-pasteur
James Shaver Woodsworth est arrêté.
Le traité de Versailles (28 juin).
Naissance de Trudeau (18 octobre).

1920. Exode de plusieurs Québecois francophones vers
les U. S. A.; début du processus d'urbanisation.

1921. Début (9 décembre) du règne (libéral) de William
Lyon Mackenzie King (vingt et un ans au
pouvoir). Le *continentalisme* (solidarité avec
Washington) supplante le *métropolitanisme* (solidarité avec Londres).

1923. Le *Halibut Treaty* : premier traité signé par le
Canada, avec les U. S. A., sans le concours
de Londres.

1927. L'exploit de Charles Lindbergh (20 mai).

1929. *Hallelujah* de King Vidor, premier succès du film sonore.

Le krach de Wall Street (23 octobre).

Fin des *Gay Twenties*; début des années de dépression.

1930. Richard Bedford Bennett (conservateur), Premier ministre du Canada. Son programme : *Canada first*.

1931. Le *Statut de Westminster* (11 décembre) : le Canada se trouve complètement affranchi de Londres. Il ne lui reste plus qu'à rapatrier sa Constitution et à mettre ses dix provinces d'accord sur une formule d'amendement.

1932. Création de la *Société Radio-Canada (Canadian Broadcasting Corporation* - C. B. C.).

Woodsworth fonde la *Cooperative Commonwealth Federation* (C. C. F.), ancêtre du *New Democratic Party*, formation politique d'inspiration socialiste.

1933. Hitler devient chancelier de l'Allemagne.

Premier voyage de Trudeau (14 ans) en Europe.

1934. Adolf Hitler se proclame *Führer*.

Assassinat de Dollfuss, chancelier d'Autriche (25 juillet).

Début de la *Longue Marche* de Mao Tsé-toung (16 octobre).

1935. Retour de Mackenzie King au pouvoir.

Le *Social Credit* (tiers parti) obtient le pouvoir en Alberta.

1936. Mort de George V d'Angleterre; Edouard VIII, son successeur, abdique et George VI, frère d'Edouard, accède au trône.

La guerre d'Ethiopie (1er mai).

Révolte en Espagne (12 juillet).

Maurice Duplessis fonde l'*Union nationale* et obtient le pouvoir au Québec (26 août).

1937. Durcissement de la droite au Canada.

Le *New Deal* de Bennett est jugé *ultra vires*.

Duplessis impose la « loi du cadenas » pour combattre les « communistes ».

1938. Hitler envahit l'Autriche (11 mars).

1939. Adélard Godbout (libéral) renverse Duplessis.

Constitution de l'Axe Rome-Berlin (7 mai).

La Deuxième Guerre mondiale éclate (3 septembre); 41 992 Canadiens tomberont au champ d'honneur.

1940. La débâcle en France; Pétain demande l'armistice (17 juin).

Franklin D. Roosevelt est réélu aux U. S. A. (4 novembre).

Trudeau termine ses études secondaires.

1941. La *Charte de l'Atlantique* (14 août).

Pearl Harbour (7 décembre).

Les U. S. A. déclarent la guerre à l'Axe (7 décembre).

1942. Plébiscite sur la conscription (27 avril). Au Québec : 71,2 % NON. Dans tout le Canada : 63,7 % OUI. *Trudeau fait campagne en faveur du NON, avec Jean Drapeau, dans le comté d'Outremont.*

1943. Désordres raciaux à Harlem et à Détroit (juin).

Mussolini démissionne (27 juillet).

Conférence de Téhéran (2 décembre).

1944. Progroms en Allemagne.
Création de l'Hydro-Québec (14 avril).
Massacre d'Oradour (10 juin).
La C. C. F. obtient le pouvoir en Saskatchewan.
Duplessis reprend le pouvoir au Québec (8 août).
Trudeau est reçu au Barreau.

1945. Conférence de Yalta (2-11 février).
Mort de Roosevelt (12 avril).
Fondation des *Nations Unies* (25-26 avril).
Exécution de Mussolini (28 avril).
Suicide de Hitler (30 avril).
Mackenzie King est réélu au Canada (11 juin).
Conférence de Potsdam (17 juillet - 2 août).
Hiroshima (6 août).
Nagasaki (9 août).
Les U. S. A. occupent la Corée du Sud (8 septembre).
Trudeau à Harvard.

1946. Le verdict de Nuremberg (30 septembre) : vingt-deux chefs nazis sont condamnés; vingt et un sont pendus; Gœring se suicide.
Mgr Stépinac est condamné à seize ans de travaux forcés (11 octobre).
Trudeau à la *Sorbonne*, puis à la *London School of Economics*.

1947. Le *Plan Marshall* (5 juin).
L'Inde accède à l'indépendance et le Pakistan est séparé de l'Inde (15 août).
Au Canada : découverte de vastes gisements de pétrole, de minerai de fer et d'uranium.

1948. Assassinat du Mahatma Gandhi (30 janvier).
Proclamation de l'Etat d'Israël (14 mai).

219

Le *fleurdelisé* est adopté comme drapeau particulier du Québec.

Louis Saint-Laurent (libéral), Premier ministre du Canada (15 novembre).

Trudeau, globe-trotter.

1949. La grève de l'amiante, à Asbestos, Québec (13 février); *Trudeau y participe.*

Création de l'*Organisation du Traité de l'Atlantique Nord* - l'O. T. A. N. (18 mars).

Terre-Neuve adhère à la confédération canadienne (31 mars).

Institution de la *Commission Massey* sur la culture, les arts et lettres au Canada.

Trudeau, conseiller au Conseil privé.

L'Union soviétique a la bombe atomique (23 septembre).

Proclamation de la République populaire de Chine (1er octobre).

1950. Proclamation de l'*Année sainte* à Rome (1er janvier).

Londres reconnaît Pékin (6 janvier).

Duplessis provoque la déposition de Mgr Joseph Charbonneau, archevêque de Montréal (30 janvier).

Le Commonwealth établit le *Plan Colombo.*

Début de la guerre de Corée (25 juin); elle durera trois ans.

Grève générale des chemins de fer au Canada (22 août).

Fondation de la revue *Cité Libre.*

1951. Truman limoge MacArthur (11 avril).

Formation du Pool européen charbon-acier (9 mai).

Exécution aux U. S. A. des époux Rosenberg
(19 juin).
*Trudeau, conseiller juridique à la Confédération des
travailleurs catholiques du Canada* (C. T. C. C.).

1952. Elizabeth II accède au trône d'Angleterre
(6 février).
Vincent Massey, premier Canadien à occuper le
poste de gouverneur général du Canada.
Trudeau visite l'U. R. S. S.
Premier test d'une bombe à hydrogène aux
U. S. A. (1er novembre).

1953. Mort de Josef Staline (5 mars).
Premières émissions de télévision au Canada
(14 mai).
Conquête de l'Everest (29 mai).
Test d'une bombe H en U. R. S. S. (12 août).

1954. Dien-Bien-Phu (mai).
Conférence de Genève sur le Sud-Est asiatique
(26 juillet).
Création de l'*Organisation du Traité de l'Asie du
Sud-Est* - O. T. A. S. E. (8 septembre).
Fin de l'enquête sur la moralité à Montréal.
Jean Drapeau élu maire pour un premier terme
(octobre).
Fin du McCarthysme aux U. S. A. (2 décembre).
Trudeau à la conférence du Commonwealth au Pakistan.
Construction, conjointement avec les U. S. A.,
des lignes D. E. W., Pinetree et Mid-Canada.

1955. Explosion nationaliste à Montréal, en faveur de
l'athlète Maurice Richard, contre son entraî-
neur, Clarence Cambell (17 mars).
Conférence historique de Bandoeng (18 avril).

Création de la République fédérale allemande
(5 mai).

Fondation du *Congrès du Travail du Canada* -
C. T. C. (9 mai).

Signature du *Pacte de Varsovie* (14 mai).

Déposition de Peron en Argentine (19 septembre).

Début du boycott (trois cent quatre-vingt-un
jours) des transports en commun par les Noirs
de Montgomery, en Alabama.

Fusion des deux grandes centrales syndicales
américaines, A. F. L. - C. I. O. (5 décembre).

1956. Début de la « déstalinisation » en U. R. S. S.

Réélection de Duplessis au Québec (20 juin).

Scandale de la *Trans Canada Pipeline* (mai-juin).

Les abbés Gérard Dion et Louis O'Neil publient
un texte intitulé *L'Immortalité politique dans la
Province de Québec* dans la revue « Ad Usum
Sacerdotum » (juillet).

La crise de Suez (26 juillet); Pearson se signale
comme médiateur.

La révolte hongroise (23 octobre).

Israël au Sinaï (29 octobre).

John George Diefenbaker devient chef du parti
conservateur (14 décembre).

Trudeau publie La Grève de l'amiante *et fonde le
Rassemblement des éléments antiduplessistes.*

1957. La « loi du cadenas » est déclarée *ultra vires* par
la Cour suprême du Canada (6 mars).

Création du *Marché commun* européen (25 mars).

John Diefenbaker (conservateur), Premier ministre du Canada (10 juin). Il n'a obtenu que

119 sièges; il s'agit d'un gouvernement minoritaire.

Création du système conjoint de défense nord-américaine N. O. R. A. D. (31 juillet).

1958. Lester Bowles Pearson est élu chef du parti libéral fédéral (16 janvier).

Nikita Khrouchtchev, Premier ministre en U. R. S. S. (27 mars).

Nouvelle élection au Canada; balayage conservateur; Diefenbaker remporte 208 sièges (31 mars).

Le général Charles de Gaulle devient président de la République française (1er juin).

Scandale du gaz naturel au Québec (13 juin). L'*Union nationale* est mortellement touchée.

Avènement de Jean XXIII (28 octobre).

Grève des réalisateurs de Radio-Canada (29 décembre). Jean Marchand, Gérard Pelletier et René Lévesque sont parmi les principaux dirigeants de la grève.

1959. Fidel Castro au pouvoir à Cuba (1er janvier).

Le Commonwealth condamne l'*apartheid*.

Inauguration de la *Voie maritime du Saint-Laurent* (26 juin).

Mort de Maurice Duplessis à Schefferville (3 septembre).

Paul Sauvé, Premier ministre du Québec (4 septembre).

Le major général Georges Vanier, gouverneur général du Canada (15 septembre).

Khrouchtchev aux U. S. A. (15-27 septembre).

1960. Mort de Paul Sauvé (1er janvier).

La guerre d'Algérie.

Querelle idéologique Moscou-Pékin.

L'incident du U-2 (1er mai).

Pendaison d'Eichmann (31 mai).

Jean Lesage (libéral), Premier ministre du Québec (22 juin). Début de la *révolution tranquille*.

Adoption du *Bill of Rights* canadien (4 août).

Les Insolences du frère Untel (30 août) : un succès de librairie dirigé sans malice contre le système d'enseignement et le *joual* au Québec.

La *Confédération des travailleurs catholiques du Canada* se déconfessionnalise et devient la *Confédération des syndicats nationaux* - C. S. N.

Fondation du Rassemblement pour l'indépendance nationale - R. I. N. (10 septembre). Trois cents ans, jour pour jour, après la Conquête.

Deux innocents (Trudeau et Jacques Hébert) *en Chine* (titre d'un ouvrage qu'ils publièrent à leur retour).

Jean Drapeau de nouveau maire de Montréal après le terme de Sarto Fournier.

1961. Assassinat de Patrice Lumumba au Congo (17 janvier).

John F. Kennedy est assermenté comme président des Etats-Unis (20 janvier).

Le Canada fait exclure l'Afrique du Sud du Commonwealth (8-17 mars).

Yuri Gagarine dans l'espace (12 avril).

La Baie des Cochons (17 avril).

Le mur de la honte (12 août).

Mort d'Hammarskjold (18 septembre).

Pourquoi je suis séparatiste, de Marcel Chaput (septembre).

La *Commission Parent* enquête sur l'éducation au Québec.

Trudeau, professeur à l'Université de Montréal, tente de passer de Key West à Cuba en canoë.

1962. En Colombie-Britannique : les Doukhobors détruisent d'importantes installations électriques (6 mars).

Les accords d'Evian (18 mars); fin de la guerre d'Algérie.

La querelle Moscou-Pékin éclate au grand jour.

A Ottawa : le régime Diefenbaker est en difficulté (18 juin).

Au Québec : nationalisation de l'électricité.

Ouverture de Vatican II (11 octobre).

La crise cubaine (22 octobre).

1963. Diefenbaker face à un vote de non-confiance (5 février).

Début du terrorisme du *Front de libération du Québec* - F. L. Q. (8 mars).

Lester Pearson (libéral), Premier ministre du Canada (8 avril).

L'encyclique *Pacem in terris* de Jean XXIII (11 avril).

Première victime du F. L. Q. : Wilfrid O'Neil, gardien de nuit (20 avril).

Nationalisation de l'électricité au Québec (1er mai).

Cinq bombes du F. L. Q. dans des boîtes aux lettres à Westmount (17 mai). Le capitaine Walter Leja est grièvement blessé en désamorçant une bombe.

Fondation de l'*Organisation de l'unité africaine* - O. U. A. (22 mai).

225

8

Institution de la *Commission Laurendeau-Dunton* sur le bilinguisme et le biculturalisme au Canada.

Mort de Jean XXIII (3 juin).

Traité (limité) nucléaire Moscou-Washington (25 juillet).

L'affaire Profumo-Christine Keeler (31 juillet).

La marche des Noirs sur Washington (28 août).

Différend nucléaire Canada-U. S. A.

Démission des ministres (conservateurs) Harkness et Fleming.

Assassinat de Diem et de Nhu au Sud-Vietnam (2 novembre).

La tragédie de Dallas (22 novembre).

Assassinat d'Oswald, présumé assassin du président Kennedy, par Jack Ruby (24 novembre).

Lyndon Baines Johnson, président des Etats-Unis.

1964. Création d'un ministère de l'Education au Québec. Bill 60 (6 février).

Début de l'agitation étudiante à Berkeley, Calif. (avril).

Trudeau publie, dans Cité Libre, *avec un groupe d'amis, un manifeste intitulé :* « Pour une politique fonctionnelle » (mai).

Harkness tente d'organiser une coalition conservatrice contre Diefenbaker, le chef.

L'incident du golfe du Tonkin (4 août).

Le rapport de la *Commission Warren* (27 septembre) : Oswald est tenu seul responsable de l'assassinat de Kennedy.

Vol à l'*International Firearms* à Montréal : deux morts.

Déchéance de Khrouchtchev (14 octobre).

La Chine a la bombe atomique (16 octobre).

L'affaire Lucien-Rivard (novembre) : l'aile québecoise du parti libéral fédéral se trouve sérieusement ébranlée.

1965. Bombardements aériens au Nord-Vietnam en représailles à la tragédie de Pleiku (7 février).

Marche des Noirs de Selma à Montgomery (21-25 mars).

Vingt mille GI's à Saint-Domingue (28 avril).

Emeute des Noirs à Watts, Los Angeles (11-16 août).

Paul VI à l'O. N. U. (4 octobre).

Premier rapport de la *Commission B. B.*

Elections générales (8 novembre). *Trudeau, Jean Marchand et Gérard Pelletier — les « trois colombes » — sont élus députés au gouvernement fédéral.*

La Rhodésie proclame son indépendance (11 novembre).

1966. *Trudeau est nommé secrétaire parlementaire de Pearson.*

Destitution de Kwame Nkrumah (24 février).

L'affaire Gerda Munsinger (mars) : l'aile québecoise du parti conservateur est en mauvaise posture.

Daniel Johnson (Union nationale) renverse l'« équipe du tonnerre » de Jean Lesage et devient le nouveau Premier ministre du Québec (6 juin).

La France retire ses troupes de l'O. T. A. N. (1er juillet).

Le F. L. Q. fait deux autres morts : à l'usine Lagrenade et à la *Dominion Textile.*

Inauguration du métro de Montréal (14 octobre).

Convention annuelle du parti conservateur; intrigues nourries contre Diefenbaker.

1967. Troubles à Chypre.

Trudeau : tournée des pays francophones d'Afrique.

Trudeau devient ministre de la Justice (4 avril).

Ouverture de l'Exposition universelle de Montréal - *Expo 67* (29 avril).

Robert Stanfield défait tous ses adversaires, et Diefenbaker, et devient chef du parti conservateur.

La guerre des Six-Jours (5-10 juin).

Rencontre de Lyndon Johnson et d'Alexeï Kossyguine à Glassboro (23-25 juin).

Emeutes raciales à Newark et à Détroit (juillet).

De Gaulle au balcon de l'hôtel de ville de Montréal lance son « Vive le Québec libre ! » (26 juillet).

Conférence de la Confédération de demain.

René Lévesque quitte le parti libéral (octobre).

Trudeau réforme le Code pénal (5 décembre) ; assouplit les lois sur le divorce, l'avortement et l'homosexualité.

Pearson annonce sa démission (14 décembre).

1968. L'ANNÉE TRAGIQUE.

L'affaire du *Pueblo* (23 janvier).

L'offensive du Têt au Sud-Vietnam, trente capitales provinciales attaquées simultanément (30 janvier).

Le massacre de My Lai (16 mars).

Assassinat de Martin Luther King à Memphis (4 avril).

Trudeau devient chef du parti libéral (6 avril).

Emeute à l'Université de Columbia N. Y. (23 avril).

France : les événements de mai. Le paroxysme (24 mai).

Assassinat de Robert Kennedy à Los Angeles (5 juin).

Emeute anti-Trudeau à Montréal (24 juin).

Trudeau (libéral), quinzième Premier ministre du Canada (25 juin).

La crise biafraise bat son plein (juillet).

L'encyclique *Humanae vitae* contre la limitation des naissances (25 juillet).

Les tanks russes à Prague (20-21 août).

Mort de Daniel Johnson à la Manicouagan (2 octobre).

René Lévesque fonde le Parti québecois (14 octobre).

Richard Milhous Nixon (Républicain), trente-septième président des Etats-Unis (3 novembre).

1969. Emeute à l'université Sir George Williams à Montréal (22 février).

Mort d'Eisenhower (28 mars).

De Gaulle démissionne (28 avril).

Assassinat de Tom Mboya au Kenya (5 juillet).

Premier retrait des troupes américaines au Vietnam (8 juillet).

Apollo XI : premiers pas de l'homme sur la Lune (20 juillet).

Nixon promulgue la *doctrine de Guam* (26 juillet); les Asiatiques devront davantage compter sur eux-mêmes pour se défendre.

Festival « Rock » de Woodstock N. Y. (août).

Mort de Ho Chi Minh (3 septembre).

Graves malaises au Liban (3-9 novembre).

Deux cent cinquante mille manifestants contre la guerre du Vietnam à Washington (15 novembre) : la plus grande manifestation de l'histoire des U. S. A.

Deuxième marche de l'homme sur la Lune - *Apollo XII* (19 novembre).

1970. Ottawa établit des relations diplomatiques avec le Vatican (23 avril).

Robert Bourassa (libéral), Premier ministre du Québec (29 avril). Le Parti québecois, souverainiste, fait élire sept députés.

Offensive américano-vietnamienne au Cambodge (30 avril).

Emeute à l'Université de Kent aux U. S. A., deux morts (4 mai).

Voyage de Trudeau dans le Sud-Est asiatique et à l'Exposition universelle d'Osaka, Japon.

Troubles croissants en Irlande du Nord (26 juin).

Vague de piraterie aérienne (juillet).

Vague d'enlèvements en Amérique latine.

Fin d'une grève de trois mois aux Postes canadiennes (4 septembre).

Les fedayins détruisent les quatre aérobus qu'ils avaient détournés le 6 septembre (12 septembre).

Guerre civile en Jordanie (17 septembre).

Mort d'Abdel Gamal Nasser (28 septembre).

Enlèvement, à Montréal, du diplomate britannique James Richard Cross par le F. L. Q. (5 octobre).

Enlèvement, à Montréal, du ministre de l'Immigration et du Travail, Pierre Laporte, par le F. L. Q. (10 octobre).

Ottawa reconnaît Pékin (13 octobre).

Les autorités canadiennes invoquent la loi des *Mesures de guerre* pour conjurer le danger (16 octobre).

Assassinat de Pierre Laporte par le F. L. Q. (17 octobre).

Funérailles de Pierre Laporte à Montréal (20 octobre).

Réélection de Jean Drapeau et de son équipe à la mairie de Montréal (25 octobre).

Incroyable confusion des esprits dans les milieux intellectuels et nationalistes.

Ratissage, arrestations préventives (quelque quatre cent trente-cinq) par la police.

Un sondage indique que 72,8 % des Québecois approuvent l'action énergique des autorités (28 novembre).

Libération de James Cross (3 décembre); ses ravisseurs obtiennent d'être déportés à Cuba.

Arrestation des frères Rose et de Francis Simard, les responsables du sort de Pierre Laporte (28 décembre).

1971. Nombreux procès : condamnations et acquittements. La crise se résorbe.

Trudeau entreprend un voyage en Asie en février.

Révocation des *Mesures de guerre* (30 avril).

Trudeau en U. R. S. S. (17-28 mai).

La conférence de Victoria sur la Constitution (14 juin); le *statu quo* : il faut l'unanimité des dix provinces pour qu'une formule d'amendement de la Constitution soit acceptée. Le Québec a dit non à la formule Trudeau-Turner.

Kossyguine au Canada (18-26 octobre).

Pékin est admis à l'O. N. U. (26 octobre).

L'Angleterre vote en faveur de son adhésion à la C. E. E. (28 octobre).

Réforme fiscale au Canada (21 décembre).

TABLE

Achevé d'imprimer le 3 mars 1972
sur les presses de l'imprimerie Wallon, à Vichy

D. L., 1-1972 — Editeur, n° 2303 — Imprimeur, n° 1442

Imprimé en France

Monographies Seghers

TABLE ALPHABÉTIQUE

Les volumes marqués sont éventuellement accompagnés d'un disque 33 t/17 cm*
Ceux marqués (e) sont provisoirement épuisés